Le tour du monde de la cuisine
ESPAGNE

BEVERLY LEBLANC

Le tour du monde de la cuisine
ESPAGNE

p

Réalisation : ML ÉDITIONS, Paris
Traduction : Irène Lassus

ISBN 1-40543-833-9

Imprimé en Indonésie
Printed in Indonesia

NOTES À L'USAGE DU LECTEUR :
- Le dosage étalon des mesures utilisées dans chaque recette est le suivant :
  1 cuill. à café = 5 ml
  1 cuill. à soupe = 15 ml
- Sauf indication contraire, le lait doit être entier, les œufs et les légumes
  de taille moyenne, le poivre noir fraîchement moulu.
- Il est conseillé aux enfants, aux personnes âgées, aux femmes enceintes, aux
  convalescents ou à toute personne souffrant d'un problème médical d'éviter
  les recettes réalisées avec des œufs crus ou à peine cuits.
- Les temps de préparation et de cuisson sont donnés à titre indicatif.
  Ils peuvent en effet différer selon les techniques utilisées.

sommaire

Desserts (suite)

Accompagnements et boissons   227

Index   254

INTRODUCTION

La cuisine espagnole est riche et variée. Elle reflète les nombreuses traditions régionales et témoigne d'un passé généreux.

Tous ceux qui reviennent de leurs vacances sur la côte méditerranéenne espagnole avec l'impression que les seuls plats qu'on y mange sont la paella et le poulet à l'ail se font une idée à la fois erronée et déformée de la cuisine espagnole et de la diversité de ses plats. En apparence simple et sans sophistications inutiles, elle ne s'élabore cependant qu'avec des produits frais et d'excellente qualité. La générosité et l'hospitalité naturelles des Espagnols influencent une cuisine faite pour être partagée.

La présence des deux côtes, méditerranéenne et atlantique, ainsi que l'étendue du territoire, rendent difficile une définition précise de la cuisine espagnole, car elle ne se limite pas à quelques plats. Le centre du pays est un vaste plateau formé de plaines arides bordées de chaînes montagneuses plongeant vers les côtes. Les conditions climatiques sont extrêmes, allant des froids les plus rudes aux chaleurs les plus caniculaires. Ce qu'un habitant de Séville considère comme un plat typique ne l'est pas forcément pour un natif de Pampelune.

La cuisine espagnole est en général robuste, simple, parfumée, mais une division Nord-Sud se distingue nettement : plus riche que celle du Sud, la cuisine du Nord utilise plus de viande et de laitage.

L'héritage culinaire

Les cuisiniers espagnols contemporains doivent beaucoup à leurs anciens envahisseurs. Les Phéniciens, qui arrivèrent en 1100 av. J.-C., établirent un comptoir commercial à l'emplacement de l'actuelle Cadix. Ils plantèrent les premières vignes

L'architecture, aussi bien que la gastronomie, reflète toute la chaleur de l'Espagne.

non loin de là, à Jerez : le sud-ouest de l'Espagne reste la région productrice du xérès. Après les Phéniciens vinrent les Carthaginois qui ne contribuèrent pas de façon notoire à la cuisine espagnole. Vers 210 apr. J.-C., ils furent suivis par les Romains qui plantèrent les premiers oliviers et produisirent l'huile d'olive, devenue un ingrédient indispensable.

Lorsque, en 711, les Maures firent la conquête de la péninsule tout entière, à l'exception des Asturies et du Pays basque, ils étendirent les plantations d'oliviers. Les Arabes régnèrent sur l'Espagne jusqu'en 1492, lorsque Ferdinand d'Aragon et Isabelle de Castille devinrent les nouveaux souverains.

Les Maures conçurent et développèrent un important système d'irrigation, les *huertas,* pour arroser les cultures qu'ils avaient introduites. Les vastes fermes irriguées et le système de champs immenses survivent à cette époque. Le goût espagnol fut définitivement marqué par l'introduction du riz, des citrons, des amandes, des dattes et des épices du Moyen-Orient. Les aubergines, les abricots, les pêches et les coings furent également un apport des Maures, ainsi que le café, aujourd'hui boisson nationale.

Il faut aussi rendre hommage à l'âge d'or des explorations espagnoles. L'échec de Christophe Colomb dans sa quête des Indes, avec l'objectif de briser le monopole vénitien du commerce des épices, lui fit découvrir les Antilles en 1492. Il rapporta en Espagne les produits nouveaux et parfumés du Nouveau Monde, qui modifieront les savoir-faire culinaires, non seulement en Espagne, mais sur tout le pourtour de la Méditerranée. Les poivrons et les piments furent particulièrement appréciés dans les monastères, où les moines les adoptèrent

immédiatement. Christophe Colomb introduisit également le tabac, des légumes et des fruits exotiques, dont la patate douce. Au cours de son troisième voyage, il arraisonna un bateau de commerce maya chargé de fèves de cacao, alors utilisées comme monnaie d'échange. Ferdinand ne fut pas impressionné par cette découverte. Ce n'est qu'après 1528, lorsque Hernán Cortés revint en Espagne avec tout l'équipement aztèque nécessaire à la confection du chocolat, que celui-ci gagna les faveurs de la Cour, puis de toute l'Espagne. La première cargaison de fèves de chocolat arriva en Espagne en 1585. Depuis, le commerce du chocolat n'a jamais cessé. Aujourd'hui, cette histoire d'amour se poursuit : chaque ville espagnole possède ses *chocolaterías*. Christophe Colomb ne vécut pas assez longtemps pour voir sa découverte devenir la délicieuse boisson chaude que nous connaissons. Pour la majorité des Espagnols, le petit déjeuner traditionnel est composé de *churros*, de longs beignets cuits dans la friture, et de chocolat chaud si épais qu'il est difficile à boire.

Le marché de Barcelone, la Boqueria, existe depuis le XVIIIe siècle.

les marchés demeurent les lieux d'approvisionnement favoris des Espagnols. Les jours de marché restent aussi importants dans les communautés rurales qu'ils l'ont toujours été, avec leurs étals de poissons, de viandes appétissantes, de fruits et de légumes colorés. Même dans les grandes villes, où les femmes travaillent, les marchés fleurissent. Le marché de Barcelone, la Boqueria, situé sur Las Ramblas, au cœur de la ville, existe depuis le XVIIIe siècle. C'est l'un des plus grands d'Europe. Il est ouvert toute la journée, mais devient surtout actif le soir, lorsque les Barcelonais quittent leur travail. Les petits restaurants du marché cuisent la viande et les fruits de mer à la demande. Ils sont bon marché, et les produits sont frais. La Boqueria n'est pourtant que l'un des nombreux marchés de la ville, tous bruissants d'activité. La cuisine métissée, si répandue en Europe et dans le monde, n'a eu que peu de prise en Espagne. Certes, on trouve des restaurants de cuisine chinoise dans quelques grandes villes, mais nulle trace de ses arômes, ingrédients ou techniques dans la cuisine espagnole actuelle.

La manière espagnole

On dit souvent que les Espagnols mangent toute la journée et jusque tard dans la nuit : la tradition veut en effet que l'on commence par un petit déjeuner léger, puis que l'on poursuive par des tapas, jusqu'au dîner tardif, autour de 22 h (les écoliers prennent leur goûter, appelé *merienda,* autour de 18 h).

Le petit déjeuner, *el desayuno,* composé de café et de quelques pâtisseries, est pris à la maison ou dans un bar proche du lieu de travail. Dans les cafés, on trouve toujours du pain frais, des viennoiseries et, à Madrid, des *churros con chocolate,* autrefois vendus à tous les coins de rue par des marchands ambulants.

Ci-dessus *De retour des pays chauds, les cigognes retrouvent chaque année leurs nids.*

Au verso *À Gérone, les maisons peintes de couleurs chaudes longent le riu Onyar.*

Malgré la persistance des influences maures et traditionnelles dans la cuisine espagnole, aussi bien dans les restaurants que dans le cadre domestique, la cuisine moderne utilise davantage les mixeurs que les mortiers et propose des plats réadaptés au goût du jour. Bien que les supermarchés espagnols regorgent de produits frais et variés, que les fast-foods fleurissent,

16

Les bars à tapas ouvrent vers 13 h. On y déguste des amuse-gueules jusqu'à la comida, *le repas principal de la journée.*

Aujourd'hui, ces longs beignets saupoudrés de sucre et de cannelle se dégustent avec une tasse de chocolat chaud épais dans les *churrerías* et les cafés. Vers 10 h ou 10½ h, on calme une petite faim en avalant un expresso, éventuellement accompagné d'une tranche de gâteau. On peut aussi faire une pause vers 11 h pour *las once* (le onze heures), ou un peu plus tard, pour l'*almuerzo* (le déjeuner), selon les préférences. Les bars à tapas ouvrent en général autour de 13 h et proposent leur imposant choix d'amuse-gueules (voir p. 35). Ces réjouissances sont suivies par la *comida*, le repas principal de la journée

pour la majorité des Espagnols. Les bureaux ferment en général à 13½ h ou 14 h, suffisamment longtemps pour permettre aux employés de rentrer chez eux, où les attendent une bouteille de vin et un repas substantiel : la *comida* est souvent composée de pâtes ou de riz, suivis de saucisses, d'un steak ou de poisson, puis d'un yaourt ou d'un fruit. Les merguez aux lentilles (voir p. 147), ainsi qu'une version simplifiée des *cocidos*, ou ragoûts (voir p. 32), sont des plats de *comida* typiques. On retourne ensuite au travail. La journée achevée, les Espagnols s'arrêtent sur le chemin du retour pour prendre un verre dans un bar à tapas. Le repas du soir, la *cena*, pris à la maison, est plus léger que la *comida* : on mange une soupe ou une omelette, puis du fromage ou des fruits. En hiver, la *cena* se prend autour de 20½ h ; en été, plutôt 21½ h. Si l'on opte pour le restaurant, on réserve pour 22 h et on s'attarde autour de plusieurs plats jusque vers minuit. Après une courte nuit de sommeil, c'est à nouveau l'heure du *desayuno*.

Ci-dessus *Les mosaïques de Gaudí décorent le parc Güell, à Barcelone.*

Ci-contre *Ici, les terrasses des restaurants voisinent avec d'antiques arcades.*

L'Andalousie est la patrie de quantité de plats considérés comme typiquement espagnols.

Les régions d'Espagne

Pour le touriste qui voyage en Espagne, la cuisine varie avec le paysage. Chaque région propose ses spécialités. En traitant les mêmes ingrédients de manière différente, les saveurs changent. Même la tortilla, cette omelette plate aux pommes de terre que l'on trouve partout, possède des variantes (voir p. 42). Les vins locaux accompagnent avec bonheur cette sympathique cuisine régionale.

L'Andalousie

C'est le pays du flamenco, des corridas, de l'architecture maure. L'un des plats traditionnels de Cordoue, ancienne capitale omeyyade, est le *rabo de toro,* ou ragoût de queue de taureau. L'utilisation abondante d'épices et de fruits frais et secs témoigne de la permanence de l'influence arabe dans la cuisine régionale. L'Andalousie est la patrie de quantité de plats considérés comme typiquement espagnols. Le gaspacho (voir p. 99), par exemple, est l'une des soupes les plus célèbres au monde, et la sangria, vin rouge dans lequel ont macéré des fruits, évoque immédiatement le soleil d'Espagne. Les eaux bleues de la Méditerranée sont riches en poissons et en fruits de mer, et les terres arides produisent des vins capiteux et des olives savoureuses. Dans les *bodegas* de la région de Jerez, on trouve les meilleurs xérès.

Grâce à la chaleur et à l'ensoleillement, les poivrons sont charnus, les tomates juteuses, l'huile d'olive riche et épaisse. Les citrons, ainsi qu'un grand nombre de fruits considérés comme exotiques – les figues, les grenades, les kakis et les fruits de la passion –, arrivent à maturité dans cet environnement idéal. Les plats appelés *a la andaluza* contiennent en général un mélange de poivrons, de tomates et de fruits divers. Les oranges de Séville, avec lesquelles on confectionne les meilleures marmelades, ne poussent qu'autour de cette ville. Au Moyen Âge déjà, on les appréciait pour leur légère amertume.

La variété de tapas servies à Séville et aux alentours est célèbre : les fritures, dont les beignets de fruits de mer (voir p. 159), sont délicieuses. Un voyage le long de la Costa del Sol vous permettra d'apprécier, jusque dans les plus humbles des bars ou des restaurants, l'excellente friture de calamars *(calamares).* Ce n'est nullement un hasard si on surnomme quelquefois l'Andalousie *zona de los fritos,* le pays de la friture.

L'intérieur est plus aride, occupé par la sierra Nevada, une chaîne de montagnes dont les sommets sont les plus élevés d'Espagne. Les villages comme Jabugo et Trevélez produisent les meilleurs jambons secs, le *jamón serrano* (voir p. 32), estimés dans le monde entier pour leur chair à la fois tendre et salée. On peut l'incorporer aux plats cuits comme le poulet au paprika sur lit d'oignons (voir p. 131), mais, pour l'apprécier pleinement, grignotez quelques fines tranches nature, avec un verre de xérès *fino.*

L'Aragon

Les cités médiévales en pierre abondent dans cet ancien royaume qui borde les Pyrénées. Les cultures arabe et chrétienne y cohabitèrent longtemps. Le climat y est dur et caractéristique : les étés sont brûlants et les hivers d'un froid glacial accompagné d'importantes chutes de neige. Ces extrêmes ont donné naissance à des plats robustes, bien que

Chaque village côtier possède son port de pêche. Les bateaux proposent aux marchés et aux restaurants la pêche de la journée.

Au centre, près de la ville de Saragosse, le bassin de l'Èbre, riche et fertile, produit des légumes, des fruits, des amandes et de l'huile d'olive.

l'influence arabe se retrouve dans les desserts aux fruits épicés.

Pendant des centaines d'années, les bergers ont élevé les moutons de Lacha aux poils longs, qui fournissent une viande et des fromages excellents. La tradition des bergers nomades a fait de l'Aragon une région dont la cuisine repose sur les produits pouvant se conserver et se transporter sans difficulté : jambons secs, morue salée... On y trouve aussi des charcuteries : une variété de boudin *(morcilla)* avec lequel on parfume un ragoût de mouton aux haricots blancs ou que l'on cuit dans le cidre, une des boissons locales. L'abondance de rivières a inspiré des recettes à base de truite.

Les ragoûts d'agneau, de poulet ou de porc aux *chilindrón* (poivrons) donnent lieu à des plats robustes, comme le porc aux poivrons (voir p. 140). Ces plats chaleureux contiennent non seulement des poivrons, mais aussi des piments secs, forts et parfumés. Au centre, près de la ville de Saragosse, le bassin de l'Èbre, riche et fertile, produit des légumes, des fruits, des amandes et de l'huile d'olive.

Un ragoût de légumes longuement mijotés *(menestra)*, que l'on déguste surtout en été, associe l'huile d'olive et les légumes. Cariñena est connue pour ses vins rouges épais et capiteux.

Les Îles Baléares

L'archipel des Baléares, situé dans la mer Méditerranée, est formé de cinq îles : Majorque,

L'Espagne, pays profondément catholique, possède quelques chefs-d'œuvre de l'art religieux.

Minorque, Ibiza, Formentera et Cabrera. Ses influences culinaires lui viennent de la Catalogne proche, avec quelques caractéristiques propres. Il faut pourtant quitter la côte, touristique et mondaine, pour trouver les spécialités locales.

Les habitants des Baléares aiment les plats simples, composés de légumes, de poissons et de fruits de mer : tout au long de l'été on peut déguster des homards entiers nature. La cuisine accorde une large part à la viande de porc et au lard. La *sobrasada*, une saucisse de porc poivrée, est réputée dans toute l'Espagne pour sa saveur douce, sa texture fine et lisse et son parfum épicé.

Les repas quotidiens sont constitués de plats uniques et de soupes copieuses. La *sopa mallorquina*, par exemple, est si riche en légumes et en viande de porc qu'il reste peu de place pour le bouillon. La *coca mallorquina* est un équivalent de la pizza italienne. Les *coques* (le pluriel de *coca*), que l'on apprécie sur l'ensemble des îles, sont faciles à réaliser (voir p. 68) : garnissez-les simplement de restes, de fruits de mer frais, en boîte ou congelés, et de légumes.

Depuis les Romains, on y cultive la vigne, qui produit un vin dont seule une faible quantité est exportée. Le gin que l'on produit aujourd'hui encore à partir des baies de genièvre de Majorque est un héritage de l'occupation anglaise.

Malgré l'idée répandue que la mayonnaise est une invention française, les historiens espagnols revendiquent son origine hispanique : lorsque Richelieu vint à Mahón, la capitale de Minorque, il fut conquis par cette sauce onctueuse. La légende prétend qu'il l'importa à Paris et la baptisa «sauce

Au Pays basque, l'amour de la bonne chère est plus qu'un passe-temps agréable.

mahonnaise ». Cette thèse est accréditée par le fait qu'on mangeait déjà en Catalogne une sauce à l'ail qui était une émulsion à base d'œufs et d'huile (voir p. 232).

Minorque est également le lieu de production du meilleur fromage espagnol, le Máhon, au lait de vache, à la texture souple et crémeuse, qui durcit en vieillissant.

Le Pays basque

Au Pays basque, province autonome, l'amour de la bonne chère est plus qu'un passe-temps agréable : on prétend que les Basques vivent pour manger et non l'inverse. On estime que la région possède un restaurant pour mille habitants. Les femmes ne sont pas les seules à s'affairer aux fourneaux. Des sociétés gastronomiques uniquement réservées aux hommes existent depuis plus d'un siècle et les Basques ont la réputation d'être d'excellents cuisiniers.

De même qu'au Pays basque français, les Basques espagnols cuisinent avec de généreuses quantités de beurre et de crème. Leur cuisine, leur langue et leurs coutumes les distinguent nettement du reste de l'Espagne. Essayez la piperade (voir p. 106), la manière locale de réaliser les œufs brouillés, ou le flan à la poêle (voir p. 222), un dessert riche et savoureux. C'est au Pays basque que furent tentées les premières expériences de « nouvelle cuisine », la *nueva cocina vasca*.

Pour satisfaire leur amour de la nourriture, les Basques s'approvisionnent dans les provinces voisines :

en Navarre pour les légumes frais, dans les Pyrénées pour les champignons et le gibier, dans le golfe de Gascogne pour les poissons et les fruits de mer, dans la région de La Rioja et en Navarre pour le vin. Les plats à la basquaise, ou *a la vizcaína,* sont aux oignons, aux poivrons et au piment rouge, le *choricero*.

Depuis des générations, les Basques pêchent dans le golfe de Gascogne des poissons et des fruits de mer qu'ils apprêtent de diverses façons : le colin, les civelles, les araignées de mer, les huîtres, les moules et le thon sont les plus fréquents. La morue (du cabillaud séché et salé) est un plat national datant de l'époque où le poisson, pour être conservé, était salé et séché directement sur les bateaux. Le *bacalao a la vizcaína* est de la morue à la tomate et aux poivrons. Les civelles, ou *angulas,* sont de minuscules et très jeunes anguilles, servies dans des bols avec leur jus.

Le bœuf basque est considéré comme l'un des meilleurs de toute l'Espagne. Les tapas font également partie de la tradition locale : on remplace souvent le repas du soir par une sortie dans un bar à tapas, où l'on sert des amuse-gueules légèrement plus gros que dans les autres régions d'Espagne.

Les îles Canaries

Cet archipel volcanique situé dans l'océan Atlantique est formé de la Grande Canarie, Tenerife, Lanzarote, La Palma, Gomera, Hierro et Fuerteventura. Il est plus proche de l'Afrique que de l'Espagne et jouit d'un climat semi-tropical. Au XVe siècle, lorsque les explorateurs espagnols et portugais s'embarquèrent à la recherche de richesses lointaines, les îles Canaries, annexées à l'Espagne en 1496, devinrent un poste avancé pour le départ et l'arrivée des navires.

Les produits frais abondent, notamment les tomates et les bananes, exportées dans toute l'Europe. Parmi les plats régionaux, on trouve les *empanadas,* des chaussons à la viande et aux légumes, que l'on mange en en-cas ou au cours du repas. Les *papas*

Les plantations d'oliviers sont caractéristiques des terres arides du centre de l'Espagne.

Les maquereaux, les sardines et le thon frais sont en général servis simplement grillés avec de l'huile d'olive et de l'ail, ou cuits en matelote. Sur les pentes volcaniques pousse la canne à sucre, introduite au XVIᵉ siècle, dont on fait du rhum. On y respire presque un parfum d'Antilles !

La Castille-La Manche et Madrid

Le vaste plateau aride formé par la Castille-La Manche occupe le centre de l'Espagne. C'est là que Don Quichotte, le héros de Cervantès, se battit contre les moulins à vent qui envahissent le paysage. Le mot Manche vient de l'arabe *manxa*, qui signifie sec. La région, brûlée par un soleil ardent, est en effet d'une grande sécheresse. Certains ingrédients essentiels de la cuisine espagnole y poussent cependant : le safran (voir p. 33), le raisin, les olives et les tournesols.

Lorsqu'on quitte Madrid en voiture, on traverse cette zone quasi désertique, parsemée de petits villages peu peuplés. La nourriture y est simple, robuste, destinée à nourrir une population de paysans et de travailleurs. On y trouve de l'agneau et, en saison, du gibier. Les *ollas* sont des ragoûts de viande et de haricots, nourrissants et roboratifs (voir p. 32), servis depuis le XVIᵉ siècle. Don Quichotte lui-même dîna d'une *olla* qui, selon ses dires, contenait « plus de bœuf que de mouton ».

Comme dans la plupart des régions pauvres, on consomme beaucoup d'œufs. Les poules sont faciles à élever, et un dicton populaire dit que si l'on nourrit les poules, elles vous nourrissent à leur tour. La tortilla (voir p. 42) et les œufs façon flamenco (voir p. 177) sont des exemples de ces plats peu onéreux originaires de la région. Le *pisto manchego* est un ragoût de légumes qui ressemble à la ratatouille. Le *gazpacho manchego* est une version chaude

arrugadas, ou pommes de terre en robe de sel (voir p. 84), sont servies avec une sauce mojo, au vinaigre et aux poivrons. Les pommes de terre sont cuites avec leur peau dans une eau très salée. La *mojo rojo,* sauce mojo rouge (voir p. 84), est une sauce traditionnelle, la *mojo verde* est parfumée à la coriandre. Le *gofio,* ou pain du pauvre à base de blé, d'orge, de maïs et quelquefois de pois chiches moulus et grillés, est une tradition ancienne. C'est un pain non levé que les paysans mangeaient avant une dure journée de travail, ou qu'ils cassaient en morceaux dans la soupe ou dans les ragoûts.

24

du gaspacho à base de légumes, de viande et de pain, censée protéger contre les vents violents qui balaient les plateaux et les plaines. On est loin du frais gaspacho andalou, conçu pour lutter contre la chaleur !

Tolède et ses ruelles étroites, noires de monde, est la patrie du massepain (voir p. 225), inventé par les pâtissiers maures au XIIIᵉ siècle. Aujourd'hui, à la période de Noël, on vend dans toutes les pâtisseries d'Espagne des figurines de la Nativité moulées dans le massepain.

La ville de Consuegra, centre de l'industrie du safran (voir p. 33), secoue sa torpeur à la fin du mois d'octobre, pour la *Fiesta de la rosa del azafrán*, fête consacrée à la récolte du safran.

La Manche est la région d'Espagne la plus productrice de vin : les meilleurs vins sont vinifiés autour de Valdepeñas. Ce sont des vins de table, du *vino común*, réservés à la consommation quotidienne.

Dans la Madrid cosmopolite, la nourriture est à la fois copieuse et légère, reflétant la présence historique de la cour royale. Les repas sont gais, et les nombreux bars à tapas autour de la Plaza Mayor sont de plaisants lieux de rencontre pour les *madrileños* et les touristes. Pour goûter à la cuisine locale, essayez le *cocido madrileño*, ou ragoût à la madrilène, dont les plaisirs se prolongent indéfiniment. Le repas commence par un bouillon richement parfumé contenant du riz cuit. Puis viennent les légumes : chou, carottes, pommes de terre et pois chiches. Ils sont suivis par les viandes tendres qui ont lentement mijoté. On mélange en général du bœuf, du chorizo, de la palette de porc, du poulet et de minuscules boulettes de viande. Les trois parties du plat sont appelés *sato, caballo* et *rey*,

Le vaste plateau central balayé par les vents est la patrie d'une nourriture simple et roborative.

La Manche est une immense région de vignobles : les meilleurs vins sont vinifiés autour de Valdepeñas.

c'est-à-dire le valet, la reine et le roi, en raison de la progression vers une sorte d'apothéose.

La Castille-León et La Rioja

L'histoire a réuni la gastronomie de ces deux régions. C'est le pays de l'*asado*, ou viande grillée. Pour les Espagnols, les meilleures et les plus tendres des viandes viennent de cette région, autour de Ségovie. Les plus prisées sont le *cochinillo* (cochon de lait) et le *lechazo* (agneau de lait). Cette tradition date du XVᵉ siècle. On tue les animaux à l'âge de trois semaines environ, et la viande est si tendre qu'on prétend pouvoir la couper à la fourchette. Pour rôtir la viande à la broche sur des sarments de vigne *(hornos de asar)*, on utilisait à l'origine le four conique des boulangers, les fours familiaux, quand ils existaient, étant trop petits pour rôtir des animaux entiers.

Si les Espagnols mangent habituellement peu de pain avec leur plat, un repas sans pain n'a ici aucun sens. Pendant des siècles, les pèlerins sur le chemin de Saint-Jacques-de-Compostelle se sont arrêtés à Astogra pour les *mantecades*, censées tenir dans la main sans peser sur l'estomac. Avec le pain, on mange les ragoûts de légumes secs et de viande qui furent des plats de la vie quotidienne. Des plats traditionnels comme la *sopa de ajo*, ou soupe à l'ail à base d'œufs et de pain, figurent aujourd'hui sur les cartes des restaurants.

La méthode andalouse de conservation des aliments dans le vinaigre, appelée *en escabeche*, fut reprise et perfectionnée par les Castillans qui l'appliquent largement, aussi bien aux légumes qu'au gibier.

La variété et l'abondance d'ingrédients dont disposent les Catalans sont enviées des cuisiniers de toute l'Espagne.

Essayez les maquereaux en escabèche (voir p. 53), ou le veau et légumes en escabèche (voir p. 139).

Le ribera-del-duero, un des vins rouges les plus séduisants de la Castille-León, est issu de vignes plantées le long du Duero, qui prend sa source dans le nord de l'Espagne pour se jeter dans l'océan Atlantique, au Portugal. Les sols fertiles des montagnes de La Rioja, qui tire son nom du río Oja, produisent des vins rouges et blancs aromatiques qui passent pour les meilleurs d'Espagne. Introduits par les Romains, ces vins restèrent inconnus jusqu'au moment où, au XIXe siècle, le phylloxéra ayant ravagé le vignoble français, des vignerons bordelais s'installèrent dans la région.

Curieusement, les Espagnols emploient peu de vin en cuisine, excepté pour les desserts de fruits pochés dans le vin. Toutes les recettes dont le nom est suivi de *a la riojana* n'utilisent pas forcément du vin : il s'agit le plus souvent d'une référence aux poivrons rouges que la région produit en abondance. Les poivrons espagnols sont longs, charnus et infiniment plus doux et parfumés que les poivrons ronds qui poussent dans les serres d'Europe du Nord – si vous avez le choix, préférez la première variété à la seconde. La cuisine, simple et pleine de saveurs, mélange souvent les poivrons et les légumes secs, comme dans la recette du sauté d'agneau aux pois chiches (voir p. 144). La Rioja produit également des asperges et des cardons : le *menesta riojana* est un sauté de légumes longuement mijotés. Le mélange de fruits, d'ail, d'huile d'olive, d'oignons, de fruits secs et de tomates qui poussent en abondance donne aux plats régionaux leur inimitable parfum.

La Catalogne

Barcelone, ville la plus importante d'Espagne et capitale de la Catalogne, est souvent également considérée comme le pôle de la gastronomie. Fuyez le littoral, touristique et surpeuplé, pour vous régaler à bon marché dans les petits restaurants de l'intérieur du pays. La cuisine catalane n'est ni fantaisiste ni noyée dans les sauces, mais repose sur les produits de saison, frais et savoureux. Elle a une longue histoire : le restaurant Can Culleretes, le plus ancien de Barcelone, date de 1786. On dit aussi que c'est un Catalan qui écrivit le plus ancien livre de cuisine espagnole, au début des années 1500.

La cuisine catalane se distingue par quatre sauces qui sont à la base de la majorité des plats. La *sofrito* est composée de tomates, d'oignons et quelquefois d'ail, doucement mijotés ; la *picada*, destinée à épaissir et à parfumer les plats, est un mélange de pain, d'ail, d'huile d'olive, d'amandes et de pignons frits écrasés dans un mortier ; la *samfaina*, que l'on ajoute aux ragoûts ou que l'on sert seule, est la version catalane de la ratatouille ; l'*allioli* (voir p. 232) est une mayonnaise parfumée à l'ail que l'on sert avec tous les aliments, des pommes de terre frites aux plats de poisson. Certains historiens culinaires affirment qu'il faudrait ajouter à cette liste la sauce romesco (voir p. 233), un mélange d'amandes grillées, de piments et de tomates, que l'on sert avec le poisson.

La variété et l'abondance d'ingrédients dont disposent les Catalans sont enviées des cuisiniers de toute l'Espagne : petits champignons cueillis dans les montagnes environnantes, crustacés fraîchement pêchés dans la Méditerranée, céréales, légumes, fruits, olives et huile, porc et gibier (le saindoux remplace souvent l'huile d'olive dans les recettes catalanes).

Barcelone est un grand port. Las Ramblas est une belle avenue centrale bordée d'arbres.

Les produits du monde entier pénètrent l'Espagne par Barcelone, un des grands ports de la Méditerranée. Tel une corne d'abondance, le marché couvert de la Boqueria propose tous les produits qui font la richesse et l'internationalisme de la cuisine catalane.

Les poissons pêchés dans la Méditerranée peuvent se préparer de multiples façons. L'une des spécialités régionales, le riz à l'encre (voir p. 122), d'une déconcertante couleur noire, est un mélange de riz et de calamars. Les traces de l'influence maure sont présentes dans le cabillaud à la catalane (voir p. 169),

enrichi de raisins secs et de pignons de pin. Les restaurants proposent souvent la *fidenà*, une matelote de poisson aux pâtes, les *fidens*, difficiles à réaliser chez soi. Le *romesco de pescado* est l'un des nombreux ragoûts de poissons, aux haricots blancs. En fin de cuisson, on l'arrose généreusement de sauce romesco (voir p. 233).

Malgré leur sympathie pour une cuisine du marché, les Catalans sont passés maîtres dans la réalisation du *bacalao* (morue séchée et salée). L'*esqueixada*, une salade de morue crue à l'huile d'olive et au vinaigre, est accompagnée de fines tranches de tomates (voir p. 89).

Les Catalans apprécient particulièrement les grillades au barbecue, aussi bien pour les viandes que pour les poissons. Au printemps, on les déguste avec des petits oignons frais trempés dans la sauce romesco.

La Cantabrique

Dans le golfe de Gascogne, le long de la Costa Verde, on pêche le thon, la bonite, les sardines et les anchois. Les rivières de l'intérieur abondent en saumons et en truites.

Santander, ville touristique internationale, est également un lieu de villégiature pour de nombreux Espagnols. Toute la région est riche de petits restaurants familiaux qui servent non seulement des plats de fruits de mer, mais aussi des viandes grillées. Les vergers produisent les pommes essentiellement employées pour la réalisation des tartes et des gâteaux.

La cuisine cantabrique utilise largement les laitages : en témoignent les riches desserts comme le flan à la poêle (voir p. 222) et l'*arroz con leche* (voir p. 196).

L'Estrémadure

La vie villageoise s'étire paresseusement dans cette région sèche et aride, à la population rare. Les fermes montagnardes produisent de délicieuses charcuteries. Les porcs noirs, élevés à l'extérieur, se nourrissent des glands de chêne-liège qui donnent son parfum au fameux *jamón ibérico* (voir p. 32). Le jambon est conservé dans le sel et mené à maturation dans les caves jusqu'à deux ans avant d'être consommé. Les meilleurs viennent de Montánchez. Rien n'est perdu dans le porc : les restes, mélangés à du paprika, deviennent les meilleurs chorizos d'Espagne. La production de paprika est considérable : l'appellation *pimentón de la Vera* est la *denominación de origen* qui en garantit l'origine et l'authenticité.

Les concerts en plein air font partie de la manière de vivre espagnole, simple et détendue.

La Galice

L'influence maure est moins marquée en Galice que dans le reste de l'Espagne. La cuisine fine et légère se distingue surtout par son caractère typiquement méditerranéen.

Située au nord-ouest de l'Espagne, la Galice est battue par les vents de l'Atlantique. Sa côte est l'une des plus longues de la péninsule, et Vigo est le plus grand port d'Europe. La gamme des fruits de mer et des poissons entre naturellement dans sa cuisine : les palourdes, les huîtres et les coquilles Saint-Jacques, le carrelet, le maquereau et le bar en font la réputation. La *caldereta de pescado* est une version locale de la bouillabaisse.

La coquille Saint-Jacques, symbole de l'apôtre Jacques, est aussi celui des pèlerins qui affluent à la cathédrale de Saint-Jacques-de-Compostelle depuis le Moyen Âge. Saint-Jacques est le patron de l'Espagne, c'est pourquoi les fêtes organisées le 25 juillet en son honneur sont ici particulièrement fastueuses. On mange toute la journée pour finir par la tarte aux amandes (voir p. 218).

De riches pâturages fournissent des porcs et un gibier d'excellente qualité. Comme au Portugal, on associe la viande aux coquillages, comme dans le fameux porc au palourdes. Les cuisiniers galiciens n'hésitent pas à employer le beurre et le saindoux, qui donnent aux plats une saveur différente de la cuisine à l'huile d'olive.

Les *pimientos de Padrón*, de petits poivrons verts que les Espagnols mangent frits (voir p. 49), sont produits en Galice. Le tetila est un excellent fromage de vache à croûte fine.

Les vins blancs secs des vignobles de Galice accompagnent agréablement les poissons, les rouges virils se marient à merveille avec les viandes.

Le Levant

Le Levant comprend à la fois la région de Valence, d'Alicante et de Murcie, entre la Catalogne et l'Andalousie. C'est une région fertile où poussent les arbres fruitiers et les légumes qui nourrissent l'Espagne et le reste de l'Europe. La région de Valence est couverte de rizières, notamment autour du lac Albufera, au sud de la ville. On y produit par tonnes un riz à grains courts, une des spécialités espagnoles. Le riz calasparra, de Murcie, considéré comme l'un des meilleurs, pousse sur des terrasses construites par les Maures au XIIe siècle.

La paella est un plat unique, idéal pour donner une note espagnole lorsque les invités sont nombreux.

La paella, connue du monde entier, est déjà citée dans les carnets de voyage du XIVe siècle. Traditionnellement sans viande, on la faisait cuire dehors, pendant le carême. Elle tire son nom de la grande poêle creuse à deux anses, la *paella*, dans laquelle elle mijote doucement. Les marchés espagnols en proposent de toutes les tailles, de 30 cm à plusieurs mètres de diamètre : lorsqu'elles atteignent ces dimensions impressionnantes, elles permettent de nourrir tout un village. Leur forme évasée est conçue pour offrir une grande surface d'évaporation et garantir une répartition régulière de la chaleur : lorsque le riz a doucement absorbé le liquide, il est cuit à point. On les trouve dans les magasins d'équipement ménager. On peut les remplacer par une sauteuse à fond épais ou par une grande poêle creuse pouvant aller au four.

La paella se prête à toutes les fantaisies : vous pouvez y ajouter des fruits de mer, du poulet ou des légumes. C'est un plat unique, idéal pour donner une note espagnole lorsque les invités sont nombreux. Mais une paella réussie prend du temps et nécessite beaucoup d'attention – pour une version plus rapide, essayez le riz au chorizo et aux crevettes (voir p. 125).

Le *all-i-pebre* est une autre spécialité au riz, à base d'ail, de poivrons et d'anguilles. Autrefois, les pêcheurs cuisinaient l'*arroz a banda,* ou riz aux fruits de mer, qu'ils dégustaient à bord des bateaux. Aujourd'hui, on le trouve dans tous les restaurants de la côte, parfumé au safran et au fumet de poisson. On le mange en deux temps : d'abord le riz, puis les poissons avec de l'aïoli (voir p. 232). Les immenses

Les élégantes palmeraies d'Elche sont uniques en Europe.

marais salants de la côte ont donné naissance à des recettes au sel, où les aliments cuisent dans une croûte de sel qui enferme les saveurs et les jus. Pendant la cuisson, la croûte devient si dure qu'on doit la casser à l'aide d'un marteau.

La couronne de riz aux haricots rouges (voir p. 182), *Moros y cristianos* (littéralement «Maures et chrétiens»), est un plat symbolique datant de l'époque où les chrétiens chassèrent les Maures d'Espagne.

Valence est aussi la ville des oranges et des citrons, qui entrent dans la composition de nombreux plats salés et sucrés. Elle exporte une grande quantité d'oranges. La dénomination *a la valenciana* indique la présence dans un plat de pommes de terre et d'oranges, la cuisson de fruits de mer dans le jus d'orange datant du Moyen Âge. Essayez la salade d'oranges au fenouil (voir p. 109) pour vous familiariser avec cette association originale.

On extrait le jus d'une minuscule racine tubéreuse, la *chufa*, dont on fait une boisson au goût proche du lait, la *horchata*.

Murcie est le pays des tomates charnues et juteuses, des gros artichauts, des légumes verts et des fruits succulents. Ils poussent loin de la côte, sur des terres semi-arides, grâce aux systèmes d'irrigation construit par les Maures. Avec ces produits régionaux, on élabore des salades composées, inventives et colorées, ainsi que la salade aux poivrons grillés (voir p. 178) et la salade de thon aux haricots (voir p. 181). Les minuscules câpres à la saveur piquante, conservées dans la saumure ou dans l'huile, qui agrémentent tant de plats autour de la Méditerranée, proviennent de cette région. Cette production intensive de fruits et de légumes a donné naissance à une industrie de la conserve florissante : les étagères

des supermarchés en témoignent. Les élégantes palmeraies d'Elche sont uniques en Europe. Leurs fruits entrent dans la composition des desserts, comme les dattes fourrées au massepain (voir p. 225), qui sont une spécialité locale.

Les recettes de poissons et de fruits de mer sont également nombreuses : on pêche la merluche, le thon, le mulet et les gambas. Étonnamment, malgré l'abondance de tous ces poissons frais, on apprécie également le thon conservé dans le sel *(mojama)*.

La Navarre

La Navarre méridionale se situe entre La Rioja et l'Aragon. Sur les rives de l'Èbre poussent les poivrons *del choricero* ou *del pico* qui parfument les plats traditionnels, comme le mouton aux poivrons. L'agneau et le porc sont les deux viandes locales, le bœuf (ou taureau) étant destiné à la corrida plutôt qu'à la table. Pendant les courses de taureaux qui ont lieu en juillet à Pampelune, c'est la tourte au lapin qui fait partie des dîners quotidiens.

Les asperges blanches de la région sont considérées comme les premières friandises printanières. Les simples cubes de pain frits, ou *migas*, autrefois nourriture des paysans montagnards, sont maintenant des tapas à la mode. On les déguste aussi avec du chocolat fondu ou du raisin. L'une des étonnantes spécialités de la région est à base de gibier à plume cuit dans une sombre sauce au chocolat.

Les restaurants affichent souvent la *trucha a la navarra*, une truite marinée dans un vin rouge local rustique avec des herbes et des épices, puis pochée dans sa marinade. Mais les bergers font simplement frire à la poêle, en plein air et sur des herbes de montagne, les truites fraîchement pêchées. Pour donner du goût, ils ajoutent des dés de serrano.

La côte espagnole est parsemée de stations balnéaires accueillant les touristes de toute l'Europe.

Dans la cuisine espagnole

Amandes *(almendras)* Elles sont omniprésentes dans les plats salés aussi bien que sucrés. Les Maures plantèrent les premiers amandiers près de Grenade, en Andalousie. On sert les amandes nature, en tapas. Moulues, elles sont utilisées comme agent de liaison, ou en remplacement de la farine, dans les desserts. Mais elles sont surtout l'ingrédient principal du touron, ou *turrón*. Les amandes deviennent facilement rances en raison de leur grande teneur en matière grasse : conservez-les au frais, dans l'obscurité, au réfrigérateur ou au congélateur. Achetez les amandes avec leur peau, qui les empêche de se dessécher (voir p. 50 comment blanchir les amandes).

Fromage *(queso)* Le manchego, un fromage de brebis de la Manche, est le plus connu des fromages espagnols. En réalité, le choix est vaste, avec des fromages de vache, de brebis, de chèvre, ou d'un mélange de différents laits. Les fromages espagnols ont la réputation d'être aussi nombreux et variés que les français, mais ils sont peu exportés à l'étranger et même d'une région espagnole à une autre.

Pois chiches *(garbanzos)* Les explorateurs ont introduit ce féculent à leur retour du Nouveau Monde. Quand ils sont secs, il faut les mettre à tremper pendant 12 h et les cuire longuement pour les rendre tendres et mangeables. On trouve facilement des pois chiches prêts à l'emploi (en espagnol : *en remojo*) en boîte ou au détail, au marché.

Piments *(pimientos chili)* Les piments rouges apportent leur piquant et leur chaleur à la cuisine espagnole. Utilisez-les judicieusement et à bon escient. Les robustes plats montagnards du Nord-Ouest sont parfumés avec les minuscules piments *guindilla,* qui comptent parmi les plus forts. La variété romesco, légèrement plus douce, entre dans la composition de la sauce romesco (voir p. 233). On peut les remplacer par les *ñora,* plus faciles à trouver. Les *choricero* donnent au chorizo sa jolie couleur orange et son inimitable parfum.

Chorizo La charcuterie espagnole est riche et variée. La plus connue est le chorizo. À base de porc, il contient du paprika fabriqué à partir du *choricero,* une variété de piments. Les possibilités sont infinies : il peut être épais, fin, fumé, nature, doux et plus ou moins gras.

Ail *(ajo)* Les desserts sont sans doute les seuls plats où l'on ne trouve pas cet ingrédient. Les plaines blanches et poussiéreuses de la Manche sont la patrie de l'industrie de l'ail. Achetez des têtes d'ail charnues, fermes avec une peau blanche et tendue. Conservez-les dans un lieu frais et sec. Les bulbes entiers restent frais pendant 1 mois, mais une fois les gousses séparées, elles se détériorent et doivent être utilisées dans les 10 jours.

Jambon *(jamón)* Dans ce pays où le porc est roi, on produit des jambons depuis plus de 2 000 ans. Le serrano est un terme générique pour désigner le jambon salé, séché à l'air et issu des porcs de montagne. Les plus appréciés proviennent des porcs ibériques noirs, notamment autour de Jabugo, Lérida, Montánchez, Teruel et Trevélez. Sa longue période de maturation explique son prix élevé, d'autant qu'il est souvent tranché à la main. En cuisine on utilise des jambons moins chers, les meilleurs étant servis en tranches fines pour les tapas. On peut le remplacer par du jambon cru italien. Le jambon cuit devient du *jamón cocido.*

Ragoûts ou sautés *(cocidos)* Ce sont des plats uniques très répandus, le plus sophistiqué étant le *cocido madrileño,* un festin pantagruélique que l'on déguste en trois étapes (voir p. 25). Le terme *olla,* qui signifie « pot », désigne également ces ragoûts riches en ingrédients.

Huile d'olive *(aceite de oliva)* C'est l'ingrédient indispensable de la cuisine espagnole. On l'utilise pour tous les modes de cuisson, pour parfumer, pour conserver et même en pâtisserie, où l'on emploie ailleurs plutôt du beurre. L'Espagne est le plus gros producteur d'huile d'olive au monde, et une réglementation sévère en définit la qualité, en fonction des modes d'extraction et des quantités produites. L'huile d'olive vierge extra *(aceite de oliva virgen extra)* est la meilleure, provenant de la première pression à froid. L'huile d'olive vierge *(aceite de oliva virgen)* est également issue de la pression à froid, mais moins raffinée. La simple appellation huile d'olive *(aceite de oliva)* désigne un mélange d'huiles vierges et raffinées. On la trouve peu car elle est surtout exportée. Il est inutile d'utiliser les huiles les plus vierges pour les fritures, car leurs parfums subtils seraient détruits par la chaleur élevée : réservez-les aux salades et aux marinades.

Olives *(aceitunas)* Le choix est infini. On propose en général toutes les variétés en tapas. Les olives, contrairement aux autres fruits, contiennent de l'huile et sont extrêmement nourrissantes. Il en existe plus de cinquante variétés, dont la moitié sont réservées à la consommation directe et viennent d'Andalousie, le reste servant à produire de l'huile. On distingue les *aragón*, petites, lisses, d'un noir légèrement rosé, les *arbequiña*, minuscules, rondes et vert clair, les *cacereña*, petites, noires et fermes, les *gordal*, grosses, vertes, parfumées et les *manzanilla* (olives de Séville), petites, vertes et charnues, souvent farcies aux anchois ou au piment.

Paprika *(pimentón)* La couleur rouge orangé et le goût plus ou moins fort du paprika se retrouvent dans de nombreux plats espagnols. Le paprika n'est autre que du piment rouge réduit en poudre, sa couleur et l'intensité de son goût dépendant de la variété des piments. La Hongrie est également une grande productrice de paprika. Ceux qui viennent d'Espagne ont la réputation d'être plus doux, bien qu'il existe en Espagne des paprikas très forts.

Riz *(arroz)* Le riz à grains ronds qui pousse sur les plaines côtières du Levant est un ingrédient de base de la cuisine espagnole. On l'utilise dans la paella (voir p. 121) ainsi que dans d'autres préparations. La façon espagnole de cuire le riz est originale : on ne couvre jamais le riz et on ne le remue pas, ce qui le distingue du riz pilaf ou du risotto. Toutes les recettes sont à base de riz calasparra provenant de Murcie, sauf celle du riz au chorizo et aux crevettes (voir p. 125). Sachez cependant que les riz à risotto ne conviennent pas : préférez les riz de toutes origines faciles à cuire que l'on propose aujourd'hui dans les supermarchés.

Safran *(azafrán)* Le parfum subtil du safran et sa saveur particulière sont incontournables dans des plats comme la paella et le poisson à la catalane (voir p. 156). Le safran fut introduit par les Maures à l'époque de la Conquête, au début du VIIIe siècle. C'est l'une des épices les plus chères au monde car elle est constituée de stigmates de crocus *(Crocus sativus)* que l'on récolte à la main à partir des fleurs de crocus. Il faut environ 75 000 stigmates pour obtenir 500 g de safran. Actuellement, les villages de la Manche en produisent des quantités considérables et approvisionnent pratiquement le monde entier. À partir du mois d'octobre, des populations entières s'investissent dans la récolte du safran. Dès la cueillette, on grille les stigmates, puis on les conserve dans des récipients hermétiques où leur parfum reste intact pendant trois ans. On remplace souvent le safran par des pistils de curcuma. Celui-ci est nettement moins onéreux, mais il donne également au riz une jolie couleur jaune, bien que son parfum soit loin d'égaler celui du safran.

Touron *(turrón)* Cette confiserie parfumée au miel ressemble au nougat. Depuis l'époque des Maures, il est produit à Jijona sur les collines au-dessus d'Alicante. Il en existe deux versions : mou *(blando)* et dur *(duro)*, qui ont peu évolué au cours des siècles.

TAPAS ET ENTRÉES

36 Les tapas, d'une diversité infinie, servies dans les bars des grandes villes et des petits villages, sont un des charmes de l'Espagne. La préparation et la dégustation des tapas sont des plaisirs que l'on ne peut goûter que dans ce pays. Les Italiens ont les *antipasti,* en France on grignote à l'apéritif, les Grecs ont les *mezze,* mais rien n'égale la tradition des tapas.

Les tapas sont une réelle institution en Espagne. Ce sont des amuse-gueules que l'on grignote en buvant un verre et en bavardant avec des amis. Ils peuvent aller de simples olives ou amandes à des plats plus élaborés, comme les poivrons farcis ou la tortilla.

Ils sont à base de poisson, de fruits de mer, de viande, de volaille, d'œufs, de légumes et servis chauds ou froids. Bien qu'il n'y ait pas de règle établie, les bars à tapas ouvrent en général à l'heure du déjeuner puis à nouveau le soir, lorsque les bureaux et les commerces ferment. À Barcelone, par exemple, les bars à tapas sont des lieux de rendez-vous avant le dîner, alors qu'à Madrid on s'y attarde volontiers pour toute la soirée, sans prendre de repas supplémentaire.

Les tapas sont en général disposées sur le comptoir, où chacun compose son assiette servie par le garçon. On les mange debout, assis au bar ou à table. Dans le nord de l'Espagne, on se sert soi-même. À la fin, le serveur compte le nombre de coupelles, bâtonnets, petites fourchettes en bois piqués dans les coques grillées ou les poissons marinés qui se trouvent sur le plateau, ce qui lui permet de faire l'addition. Dans les grandes villes, on trouve aussi des bars du type fast-food qui affichent leur variété de tapas sous forme de photos imprimées sur des sets de table. Ce système est idéal pour les touristes étrangers qui désignent simplement du doigt leurs préférences !

Le mot *tapas* signifie couvercle : on posait autrefois un morceau de pain avec du jambon ou du fromage sur le verre de vin ou de xérès pour le protéger des mouches qui assaillaient les voyageurs. Le prix des tapas était alors inclus dans celui de la boisson. Cette sympathique coutume a disparu aujourd'hui, et les tapas sont devenues payantes.

On peut classer les tapas dans différentes catégories. Les *cosas de picar* sont des petites choses à grignoter comme les olives marinées (voir p. 47), les amandes au paprika (voir p. 50), les piments frits (voir p. 49), les tranches de tortilla (voir p. 42), les petites bouchées (voir p. 93). Les *pinchos* sont plus substantiels et se mangent avec des bâtonnets en bois. On peut citer les minibrochettes au chorizo et aux champignons (voir p. 74), les pommes de terre à la catalane (voir p. 86), les foies de volaille glacés au vinaigre de xérès (voir p. 78) et les petites boulettes de viande à la sauce tomate (voir p. 77). Les *cazuelas*

Le mot tapas *signifie couvercle : on posait autrefois un morceau de pain avec du jambon ou du fromage sur le verre de vin ou de xérès pour le protéger des mouches.*

sont des tapas servies dans de petits plats en terre qui portent le même nom. Ici, on peut citer les crevettes au citron, à l'ail et au persil (voir p. 64) et les fèves au jambon (voir p. 81). Enfin, les *raciones* sont de véritables plats complets qui peuvent faire office de repas.

Au verso *Les campagnes verdoyantes font partie de la vaste diversité de paysages qu'offre l'Espagne.*

tortilla à l'espagnole
tortilla española

On sert cette omelette simple et délicieuse dans tout bar à tapas qui se respecte. Épaisse, bien cuite, ferme et dorée, son exécution paraît d'une facilité déconcertante. On disait autrefois que pour une fille, ses chances de trouver un mari dépendaient de l'excellence de sa tortilla.

La recette classique, à base d'œufs, de pommes de terre et d'oignons, est connue sous le nom de tortilla española. *Le nom des variantes, d'origine et de composition diverses, indique leur spécificité :* la tortilla murciana *contient un mélange de poivrons rouges et de tomates ;* la tortilla a la catalana *est à base de* butifarra, *une sorte de saucisse catalane, et de haricots ;* la tortilla de berenjenas *est la version andalouse, avec des aubergines.*

POUR 8 À 10 PORTIONS
125 ml d'huile d'olive
1 oignon, finement émincé
600 g de pommes de terre, finement émincées
6 œufs
sel, poivre
persil plat pour décorer

1 Faites bien chauffer une poêle à revêtement antiadhésif de 25 cm de diamètre. Versez l'huile et laissez encore chauffer. Baissez le feu, ajoutez l'oignon et les pommes de terre, puis faites fondre et dorer de 15 à 20 min.

2 Dans une jatte, battez les œufs, salez et poivrez généreusement. Égouttez les pommes de terre et les oignons dans une passoire et récupérez l'huile. Réservez-la. Ajoutez délicatement les pommes de terre et les oignons aux œufs battus. Laissez reposer pendant 10 min.

3 Avec une cuillère en bois ou une spatule, décollez les parties croustillantes dans le fond de la poêle. Mettez-la sur feu moyen avec 4 cuill. d'huile réservée. Versez le mélange d'œufs et de légumes, lissez en enfonçant les pommes de terre et les oignons dans les œufs pour obtenir une surface uniforme.

4 Laissez cuire pendant environ 5 min. Remuez la poêle de temps en temps et attendez que le fond ait pris. Avec une spatule, décollez les bords de la tortilla. Couvrez avec une grande assiette, retournez le tout rapidement* pour déposer la tortilla sur l'assiette.

5 Dans la poêle, versez 1 cuill. à soupe de l'huile, remuez pour la tapisser régulièrement. Glissez délicatement la tortilla dans la poêle, partie cuite vers le haut. Avec une spatule, poussez les bords vers l'intérieur.

6 Continuez à faire cuire pendant environ 3 min, jusqu'à ce que l'ensemble soit ferme et doré. Retirez du feu, glissez sur un plat. Laissez reposer 5 min au moins avant de couper. Servez chaud ou à température ambiante, parsemé de persil.

* le truc du cuisinier
Si vous craignez de retourner la tortilla sur une assiette, finissez de la cuire sous le gril, à feu moyen. Placez-la à environ 10 cm de la flamme et laissez dorer jusqu'à ce que les parties baveuses soient ferme. Dans ce cas, la tortilla ne présentera pas un bord uniformément arrondi.

tortilla au four
tortilla al horno

À Madrid, les bars à tapas servent ces dés d'omelette bien cuite garnis de piques à cocktail ; ailleurs on les présente plus volontiers sur des tranches de pain.

POUR 48 PIÈCES

huile d'olive

1 gousse d'ail écrasée

4 cives avec le vert, finement hachées

1 poivron vert nettoyé, épépiné, coupé en petits dés

1 poivron rouge nettoyé, épépiné, coupé en petits dés

200 g de pommes de terre en robe des champs pelées, coupées en dés

5 œufs

100 ml de crème aigre

200 g de roncal (fromage espagnol), de parmesan ou de cheddar

3 cuill. à soupe de ciboulette hachée

sel, poivre

1 Tapissez de papier sulfurisé une plaque allant au four d'environ 20 cm x 25 cm, puis badigeonnez-la d'huile d'olive. Réservez.

2 Réunissez dans une poêle un peu d'huile, l'ail, les cives et les poivrons. Faites fondre à feu moyen en remuant pendant environ 10 min, jusqu'à faire blondir les oignons. Retirez du feu et laissez refroidir. Ajoutez les pommes de terre.

3 Dans une jatte, mélangez en battant les œufs, la crème aigre, le fromage et la ciboulette. Incorporez le mélange de légumes. Salez et poivrez selon votre goût.

4 Versez le mélange sur la plaque et lissez la surface. Préchauffez le four à 190 °C/Th. 5 de 30 à 40 min. Lorsque la tortilla est bien dorée, gonflée et ferme, retirez-la du four, laissez reposer et refroidir. Passez une spatule tout autour pour la décoller de la plaque et renversez-la sur une planche à découper. Retirez la feuille de papier sulfurisé. Si la tortilla reste un peu baveuse au centre, passez-la sous le gril doux pour finir la cuisson.

5 Laissez refroidir complètement. Parez les bords si nécessaire et découpez en 48 dés. Servez sur un plat avec des bâtonnets à cocktail ou sur de fines tranches de pain.

46

pain à la tomate
pa amb tomàquet

Plat typique de Barcelone, le pa amb tomàquet, moelleux et parfumé, se déguste à l'apéritif, aussi bien dans les bars à tapas, dans les restaurants que chez les particuliers.

pain en tranches

tomates

ail (facultatif)

huile d'olive (facultatif)

Dans sa version la plus simple, le *pa amb tomàquet* est une tranche de pain frottée avec une tomate fraîche, coupée en deux. Vous pouvez aussi légèrement griller le pain, le frotter à l'ail et l'arroser d'huile d'olive.

variante

Pour un apéritif plus consistant, servez le pain à la tomate avec des tranches de serrano et de fromage manchego. Chaque convive se servira selon son goût.

olives marinées
aceitunas aliñadas

Les olives marinées se trouvent aisément dans le commerce et sur les marchés, mais, en Espagne, chaque cuisinier aime élaborer sa propre spécialité : les ingrédients, les combinaisons de parfums sont innombrables et simple question d'imagination. Avec des piments, des poivrons, des herbes aromatiques, préparez les vôtres, savoureuses et odorantes. Servez-les à l'apéritif.

POUR UN BOCAL DE 500 ml

200 g d'olives vertes farcies au piment, rincées

200 g d'olives noires rincées

50 g de poivron grillé, pelé (voir p. 74), en lamelles fines

2 fines tranches de citron

2 branches de thym

1 feuille de laurier

1 piment rouge séché

½ cuill. à café de graines de fenouil

½ cuill. à café de graines de coriandre légèrement écrasées

huile d'olive*

Réunissez les olives, les lamelles de poivron, les tranches de citron, le thym, le laurier, le piment, le fenouil et la coriandre dans le bocal en mélangeant bien les ingrédients. Couvrez d'huile d'olive. Fermez le bocal et laissez reposer à température ambiante pendant 2 semaines au moins avant de servir.

* le truc du cuisinier
N'ajoutez pas d'ail à la marinade à l'huile d'olive, en raison du risque de botulisme. Si vous souhaitez ailler votre préparation, achetez une huile d'olive parfumée dans le commerce.

Si vous conservez les olives marinées au réfrigérateur, l'huile se trouble et fige. Elle reprend sa consistance fluide à température ambiante.

olives et anchois
aceitunas y boquerones

Vous trouverez ces délicates tapas dans les restaurants chics de Barcelone. Elles sont la simplicité même. Faites-les avec votre meilleure huile d'olive qui exhalera ainsi toute sa saveur. Vite préparées, avec des ingrédients à portée de main, elles sont parfaites pour un apéritif improvisé. Vous pouvez aussi enrouler les anchois autour des olives en les faisant tenir avec des bâtonnets à cocktail.

filets d'anchois marinés à l'huile d'olive
  (dans les épiceries de spécialités espagnoles)
olives marinées (voir p. 47)
petits oignons blancs marinés
huile d'olive

1 Séparez les anchois en filets individuels. Disposez-les sur un plat avec les olives et les oignons.

2 Arrosez délicatement d'huile d'olive et servez avec des bâtonnets à cocktail. Chacun se servira selon son goût tout en bavardant.

piments frits
pimientos fritos

Tous les piments, doux ou forts, peuvent se servir frits. Les pimientos de Padrón, *qui viennent des potagers de Saint-Jacques-de-Compostelle, en Galice, sont parfaits. Petits et charnus, ils se cuisent entiers et se grignotent à l'apéritif. Vous les trouverez dans les épiceries de spécialités espagnoles et chez certains marchands de légumes. Attention aux piments forts, qui ne sont pas appréciés de tous ! Commencez par la variété douce, qui fera l'unanimité de vos convives.*

POUR 4 À 6 PERSONNES
huile d'olive
250 g de piments
sel, poivre

1 Dans une poêle profonde, versez environ 7 cm d'huile. Faites-la chauffer à 190 °C. Vous pouvez vérifier la température en y trempant un morceau de pain rassis qui doit dorer en 30 s.

2 Lavez les piments et épongez-les avec du papier absorbant. Faites-les frire dans l'huile chaude pendant 20 s. Leur peau cloque légèrement, mais ils doivent rester d'un beau vert brillant.

3 Retirez les piments avec une écumoire, posez-les sur du papier absorbant pour ôter l'excédent de matière grasse. Saupoudrez de sel et de poivre et servez immédiatement.

variante
Essayez une version plus élaborée : posez un œuf au plat sur une tranche de pain, faites tenir avec un bâtonnet à cocktail et surmontez d'un *pimiento de Padrón*.

50

amandes au paprika
almendras al pimentón

Les amandes, interprétées d'innombrables façons,
sont un classique des tapas. On les propose avec du
xérès ou un verre de vin dans les bodegas, ces bars
typiques de toute l'Espagne. Quelquefois, les
amandes sont simplement blanchies et servies
nature. Souvent, elles sont frites dans l'huile d'olive,
saupoudrées de gros sel ou enrobées de sel fin. Ici,
le paprika ajoute un petit goût piquant. Vous pouvez
les conserver jusqu'à 3 jours dans une boîte
hermétique.

POUR 4 À 6 PERSONNES
½ **cuill. à café de gros sel**
½ **cuill. à café de paprika doux ou fort, selon votre goût**
500 g d'amandes blanchies*
huile d'olive

1 Réunissez dans un mortier le sel et le paprika, et
réduisez-les en poudre au pilon, ou utilisez un petit
mixeur à épices (la quantité d'épices est trop faible pour
un robot ménager).

2 Préchauffez le four à 200 °C/Th. 5. Répartissez les
amandes sur une plaque allant au four et faites-les
dorer de 8 à 10 min. Remuez-les de temps en temps
jusqu'à ce qu'elles dégagent une bonne odeur de grillé.
Surveillez-les attentivement car elles brûlent
rapidement. Retirez-les et versez-les dans un bol.

3 Arrosez-les de 1 cuill. à soupe d'huile et remuez
pour les enrober complètement. Ajoutez de l'huile
si nécessaire. Saupoudrez de sel et de paprika et remuez
délicatement. Versez-les dans une coupe et servez à
température ambiante.

* le truc du cuisinier
Il est préférable et plus économique d'acheter des
amandes avec leur peau et de les blanchir soi-même
au fur et à mesure, car elles ont sinon tendance à se
dessécher. Conservez les amandes non blanchies dans
une boîte hermétique. Pour retirer la peau, couvrez-les
d'eau bouillante, laissez reposer 1 min, égouttez, séchez
avec du papier absorbant, puis épluchez.

maquereaux en escabèche
caballa en escabeche

POUR 4 À 6 PERSONNES

8 filets de maquereaux

300 ml d'huile d'olive

2 oignons rouges finement émincés

2 carottes épluchées finement émincées

2 feuilles de laurier

2 gousses d'ail finement émincées

2 piments rouges séchés

1 bulbe de fenouil coupé en deux, finement émincé

300 ml de vinaigre de xérès

1½ cuill. à café de graines de coriandre

sel, poivre

tranches de pain grillé pour servir

1 Placez les filets de maquereaux, peau vers le haut, sur une grille allant au four. Badigeonnez-les légèrement avec un peu d'huile. Mettez au four à mi-hauteur, à environ 10 cm de la source de chaleur, de 4 à 6 min. La peau dore et devient croustillante, la chair se détache facilement. Sortez du four et réservez.

2 Faites chauffer le reste de l'huile dans une poêle. Ajoutez les oignons et faites fondre et dorer pendant environ 5 min. Incorporez les autres ingrédients et laissez frémir pendant 10 min, jusqu'à ce que les carottes soient tendres.

3 Séparez la chair du poisson en gros morceaux, retirez la peau et les arêtes. Mettez-la dans un bocal, ajoutez le mélange d'oignons, de carottes et de fenouil. Une fois les ingrédients réunis, le bocal doit être plein, bien tassé avec un minimum de vide entre les différents éléments. Laissez refroidir, fermez le bocal et laissez reposer de 24 h à 5 jours. Servez les morceaux de maquereaux sur des tranches de pain grillé, arrosés d'un peu d'huile de la marinade. Vous pouvez aussi proposer le poisson en entrée, accompagné de légumes.

variante
Cette préparation est également délicieuse avec des filets de cabillaud ou de colin grillés, des moules, des steaks de thon ou d'espadon poêlé.

Les bars à tapas typiques se dissimulent souvent dans les petites ruelles des villes.

beignets de lotte en escabèche

rape escabechado frito

POUR 4 À 6 PERSONNES

600 g de lotte

600 à 900 ml d'huile d'olive

6 échalotes finement émincées

2 carottes, épluchées et émincées

1 bulbe de fenouil coupé en deux, finement émincé

2 feuilles de laurier

2 gousses d'ail, finement émincées

½ cuill. à café de flocons de piment,
   selon votre goût

300 ml de vinaigre de vin blanc

sel, poivre

1½ cuill. à soupe de graines de coriandre

quartiers de citron pour servir

pour la pâte

150 g de farine, plus 4 cuill. à soupe
   pour saupoudrer

½ cuill. à café de sel

1 œuf, blanc et jaune séparés

200 ml de bière

1 cuill. à soupe d'huile d'olive

1 Retirez la fine membrane enrobant le poisson, rincez et séchez-le. Coupez-le en deux dans le sens de la longueur, de part et d'autre de l'arête centrale. Éliminez l'arête. Coupez le poisson en tranches d'environ 1 cm d'épaisseur.

2 À feu moyen, faites chauffer 4 cuill. à soupe d'huile dans une poêle. Ajoutez les morceaux de poisson en une seule couche et faites frire durant 2 min. Retournez-les et faites encore cuire pendant 4 min, jusqu'à ce qu'ils soient tendres. Égouttez sur du papier absorbant. Mettez le poisson frit dans une jatte et réservez.

3 Faites chauffer 250 ml d'huile dans la même poêle. Ajoutez les échalotes et faites fondre pendant 3 min sans les faire dorer. Incorporez les carottes, le fenouil, les feuilles de laurier, l'ail, le piment et le vinaigre. Salez et poivrez à volonté. Portez à ébullition, réduisez le feu et laissez mijoter pendant 8 min. Ajoutez la coriandre et laissez mijoter pendant 2 min, jusqu'à ce que les carottes soient tendres.

4 Versez le mélange chaud sur le poisson et laissez refroidir. Couvrez et laissez reposer au frais de 24 h à 5 jours.

5 Préparez la pâte 30 min avant de faire la friture. Mettez la farine dans une jatte, ajoutez le sel. Faites un puits, ajoutez le jaune d'œuf et 100 ml de bière. Mélangez délicatement en battant jusqu'à obtention d'une pâte épaisse. Incorporez l'huile et le reste de bière, battez pour former une pâte consistante et lisse. Couvrez et laissez reposer pendant 30 min.

6 Retirez la lotte de la marinade et épongez avec du papier absorbant. Réservez. Dans une poêle profonde, faites chauffer suffisamment d'huile pour la friture. Battez le blanc d'œuf en neige ferme et incorporez-le délicatement à la pâte avec une spatule.

7 Mettez 4 cuill. à soupe de farine dans une assiette, salez et poivrez à volonté. Enrobez-en les morceaux de poisson, secouez-les pour en ôter l'excédent. Trempez le poisson dans la pâte puis, lorsque l'huile crépite, faites-les frire pendant 3 ou 4 min jusqu'à obtention d'une belle couleur dorée. Faites réchauffer l'huile entre deux passages.

8 Servez chaud avec des quartiers de citron pour décorer.

beignets de morue aux épinards
buñuelos de bacalao con espinacas

Faites dessaler la morue durant 48 h. On trouve de la morue salée et séchée sur les marchés et dans les magasins de spécialités portugaises.

POUR ENVIRON 16 BEIGNETS

250 g de morue séchée, salée

pour la pâte

150 g de farine

1 cuill. à café de levure de boulanger

¼ cuill. à café de sel

1 œuf légèrement battu

150 ml de lait

2 tranches de citron

2 branches de persil

1 feuille de laurier

½ cuill. à soupe d'huile d'olive parfumée à l'ail

100 g de pousses d'épinard lavées et égouttées

¼ de cuill. à café de paprika doux ou fort,
  selon votre goût

huile d'olive

gros sel (facultatif)

1 portion d'aïoli (voir p. 232) pour servir

1 Mettez la morue dans une jatte et couvrez-la d'eau froide. Laissez tremper pendant 48 h. Changez l'eau au moins trois fois.

2 Pendant ce temps, préparez la pâte. Réunissez la farine et la levure dans une jatte. Ajoutez le sel et faites un puits. Mélangez l'œuf avec 100 ml de lait, versez dans le puits. Mélangez délicatement jusqu'à obtention d'une pâte lisse et consistante. Si elle vous

paraît trop épaisse, incorporez encore du lait peu à peu. Laissez reposer pendant 1 h.

3 Retirez la morue de l'eau, mettez-la dans une sauteuse. Ajoutez le citron, le persil, le laurier et suffisamment d'eau pour couvrir. Portez à ébullition. Réduisez le feu et laissez frémir de 30 à 45 min jusqu'à ce que le poisson soit tendre et se défasse aisément.

4 Entre-temps, préparez les épinards. Faites chauffer l'huile à feu moyen dans une casserole. Tombez les épinards en les plongeant 3 ou 4 min dans l'huile.

5 Égouttez les épinards. Avec le dos d'une cuillère, appuyez pour bien les essorer. Hachez les épinards, incorporez-les à la pâte avec le paprika.

6 Retirez le poisson de l'eau de cuisson et émiettez-le. Ôtez la peau et les arêtes. Mettez la chair dans la pâte.

7 Dans une poêle profonde, faites chauffer 5 cm d'huile, jusqu'à atteindre une température de 190 °C. Vous pouvez vérifier la température en y trempant un morceau de pain rassis qui doit dorer en 30 s. Avec une cuillère à soupe enrobée d'huile, prélevez des portions de poisson enrobé de pâte. Faites frire dans l'huile chaude de 8 à 10 min jusqu'à obtention d'une belle couleur dorée. Travaillez par étapes pour ne pas encombrer la poêle. Avec une écumoire, retirez les beignets et disposez-les sur du papier absorbant. Saupoudrez de gros sel si nécessaire.

8 Servez chaud ou à température ambiante, avec de l'aïoli.

sardines grillées
sardinas asadas

Cette préparation simple est une tradition du bord de mer. Les poissons frais arrivent par bateau et sont aussitôt grillés au feu de bois. On les sert en général avec des tranches de citron dont on arrose le poisson brûlant. Ils sont également délicieux avec de l'aïoli (voir p. 232). Pour un déjeuner plus consistant, accompagnez-les d'une salade d'oranges au fenouil (voir p. 109). Pour donner du goût, introduisez un filet d'anchois dans chaque sardine avant de les griller.

POUR 4 À 6 PERSONNES
2 cuill. à soupe d'huile d'olive parfumée à l'ail*
12 sardines fraîches étêtées, vidées et nettoyées
gros sel, poivre
quartiers de citron pour servir

1 Préchauffez le gril à la chaleur maximale et badigeonnez une grille avec un peu d'huile d'olive parfumée à l'ail. Badigeonnez également les sardines d'huile d'olive et disposez-les sur la grille en une seule couche. Salez et poivrez selon votre goût.

2 Faites griller les sardines à environ 10 cm de la source de chaleur pendant 3 min, jusqu'à ce que la peau devienne craquante. Avec une pince, retournez les sardines, badigeonnez-les d'huile, salez et poivrez. Faites encore griller pendant 2 ou 3 min jusqu'à ce que la peau soit croustillante et que la chair se détache facilement. Servez immédiatement, avec des quartiers de citron.

* le truc du cuisinier

Achetez des poissons fermes, à la peau brillante et aux yeux clairs. Les sardines sont meilleures consommées le jour même. Pour les conserver avant de les griller, rangez-les au réfrigérateur.

En général, les poissonniers préparent les poissons, mais, le cas échéant, c'est très facile à faire soi-même. Tenez la sardine fermement d'une main et tirez la tête vers le bas. Les boyaux, reliés à la tête, peuvent ainsi se retirer en un seul geste. Avec le doigt, achevez de nettoyer l'intérieur du poisson. Pincez l'arête entre le pouce et l'index et tirez vers vous. Rincez bien et séchez avec du papier absorbant.

olives aux anchois
aceitunas envueltas de anchoas

Une animation bruyante règne dans les bars à tapas bordant les ruelles étroites de Saint-Sébastien, élégante station balnéaire du nord de l'Espagne. On y sert jusque tard dans la nuit d'appétissants amuse-gueules que l'on déguste avec de la bière à la pression, une grande spécialité du Pays basque.

POUR 12 TAPAS
12 filets d'anchois à l'huile égouttés
24 olives vertes farcies au piment égouttées

Coupez délicatement les filets d'anchois en deux dans le sens de la longueur. Enroulez-les autour des olives en faisant se chevaucher les deux extrémités. Fixez avec un bâtonnet à cocktail. Préparez une deuxième olive et glissez-la sur le même bâtonnet. Faites de même pour toutes les olives et tous les filets d'anchois. Vous obtenez ainsi douze *pinchons*, chacun étant constitué de deux olives.

variante
Remplacez les olives au piment par des olives nature et farcissez-les de lamelles d'anchois préalablement blanchies. Procédez de la même façon pour présenter.

Les ports des côtes atlantique et méditerranéenne fournissent l'Espagne en poissons.

crevettes au jambon
gambas envueltas en jamón

Réalisez la sauce d'accompagnement de ce plat avec des tomates bien mûres et parfumées. Hors saison, servez les crevettes froides avec de l'aïoli (voir p. 232), de la sauce romesco (voir p. 233) ou de la sauce mojo (voir p. 84).

POUR 16 PORTIONS

Pour la sauce tomate aux câpres

2 tomates pelées et épépinées*

1 petit oignon rouge finement émincé

4 cuill. à soupe de persil finement haché

1 cuill. à soupe de câpres rincées, égouttées
  et finement hachées

le zeste finement râpé de 1 citron

4 cuill. à soupe d'huile d'olive

1 cuill. à soupe de vinaigre de xérès

16 gambas crues, décortiquées et dénervées,
  avec les queues (voir p. 64)

16 fines tranches de jambon cru espagnol ou italien

huile d'olive

1 Préparez la sauce : hachez finement la chair des tomates et réservez-la dans un bol. Ajoutez l'oignon, le persil, les câpres et le zeste de citron. Mélangez délicatement. Assemblez l'huile et le vinaigre et incorporez aux autres ingrédients. Réservez.

2 Enveloppez chaque gambas d'une tranche de jambon et arrosez d'un filet d'huile. Disposez les crevettes dans un plat à gratin, en une seule couche. Préchauffez le four à 160 °C/Th. 3 et faites cuire pendant 10 min.

3 Transférez les gambas sur le plat de service et nappez de sauce tomate aux câpres. Servez immédiatement ou à température ambiante.

* le truc du cuisinier

Pour peler et épépiner les tomates, procédez de la façon suivante : supprimez le pédoncule, entaillez la peau en croix. Mettez les tomates dans une casserole, couvrez-les d'eau bouillante et laissez reposer 30 s. Avec une écumoire, transférez-les dans un bol d'eau glacée. Pelez les tomates une à une, coupez-les en deux. Avec une cuillère à café, éliminez les pépins.

crevettes au citron, à l'ail et au persil
gambas al ajillo con limón y perejil

64

Les ingrédients de ce plat de base sont toujours identiques : des crevettes, de l'ail et du citron. Mais on peut varier les plaisirs, laisser les crevettes entières, les décortiquer en conservant la tête et la queue, ajouter du piment ou supprimer le persil. Servez les crevettes chaudes, à température ambiante, ou froides.

POUR 6 PERSONNES

60 gambas crues ou décongelées

150 ml d'huile d'olive

6 gousses d'ail finement émincées

3 piments séchés (facultatif)

6 cuill. à soupe de jus de citron

6 cuill. à soupe de persil haché

tranches de pain pour servir

1 Pelez les tomates et dénervez les gambas : retirez les têtes et laissez les queues. Épongez-les avec du papier absorbant.

2 Faites chauffer l'huile dans une poêle profonde. Ajoutez l'ail et, éventuellement, les piments. Laissez saisir légèrement tout en remuant. Ajoutez les gambas et laissez cuire jusqu'à ce qu'elles rosissent.

3 Avec une écumoire, transférez les gambas dans des bols individuels allant au four. Arrosez de jus de citron et parsemez de persil. Servez immédiatement avec du pain.

* le truc du cuisinier

Pour dénerver les gambas, utilisez un couteau pointu et bien aiguisé. Glissez-le sous la nervure noire qui va de la tête au dos et retirez-la.

Les églises majestueuses font partie du paysage de toute l'Espagne.

poivrons farcis au crabe 67
pimientos del piquillo rellenos de ensalada de cangrejo

Les pimientos del piquillo, en boîte ou en bocal, sont un ingrédient de base de la cuisine espagnole. Ce sont des poivrons de forme allongée (environ 8 cm), pelés, épépinés et grillés. Prêts à être farcis ou émincés, ils accompagnent les viandes et les salades. Pour cette recette, veillez à acheter des poivrons entiers, conservés dans l'huile ou dans leur jus.

POUR 16 PORTIONS

pour la salade de crabe

250 g de chair de crabe parfaitement égouttée

1 poivron rouge grillé, pelé (voir p. 74)
  et grossièrement haché

1½ ou 2 cuill. à soupe de jus de citron

sel, poivre

200 g de fromage à tartiner

16 poivrons grillés* nettoyés
persil haché pour garnir

1 Commencez par la salade de crabe. Émiettez la chair, en supprimant tous les fragments de cartilage. Dans un mixeur, mélangez la moitié de la chair avec le poivron rouge préparé, 1½ cuill. de jus de citron. Salez et poivrez selon votre goût. Réduisez en purée et transférez dans un bol. Ajoutez le fromage et le reste de chair de crabe. Goûtez, rectifiez l'assaisonnement et ajoutez du jus de citron.

2 Tamponnez les poivrons avec du papier absorbant. Éliminez les graines. Répartissez la chair de crabe selon le nombre de poivrons et farcissez-les généreusement. Disposez-les sur le plat de service ou des assiettes individuelles, couvrez-les et mettez au frais. Avant de servir, saupoudrez de persil haché.

* le truc du cuisinier

Si vous ne trouvez pas de *pimientos del piquillo* dans le commerce, faites-les griller vous-même. Choisissez des poivrons longs bien charnus. Si vous ne trouvez que des poivrons ronds, coupez-en 4 ou 6 en morceaux et déposez la chair de crabe dans chacun d'eux.

tarte aux légumes et aux palourdes
coca mallorquina

POUR 4 À 6 PERSONNES

Pour la pâte

400 g de farine, plus la quantité nécessaire pour pétrir
  la pâte

1 sachet de levure de boulanger

1 cuill. à café de sel

½ cuill. à café de sucre

1 cuill. à soupe d'huile d'olive

1 cuill. à soupe de vin blanc sec

200 ml d'eau chaude

2 cuill. à soupe d'huile d'olive

4 gousses d'ail écrasées

2 gros oignons finement émincés

10 poivrons grillés nettoyés (voir p. 67), bien égouttés,
  épongés avec du papier absorbant, coupés en lanières
  fines

250 g de palourdes décortiquées

sel, poivre

1 Pour la pâte : réunissez dans une jatte la farine, la
levure, le sel et le sucre. Faites un puits. Mélangez
l'huile, le vin et l'eau et versez-en 180 ml dans le puits.
Incorporez petit à petit la farine au liquide, jusqu'à
obtention d'une pâte molle. Ajoutez le liquide restant
si nécessaire.

2 Transférez la pâte sur une surface légèrement
farinée et pétrissez-la pour la rendre ferme et
souple. Formez une boule. Lavez la jatte et badigeonnez-
la d'huile. Mettez la pâte dans la jatte et roulez-la pour
la tapisser d'huile. Couvrez avec du film alimentaire et
placez le tout dans une endroit chaud pour faire lever
la pâte. Attendez qu'elle ait doublé de volume.

3 Faites chauffer l'huile dans une poêle, à feu moyen.
Réduisez le feu, ajoutez l'ail et les oignons, et faites
fondre et blondir doucement pendant 25 min en
remuant de temps en temps.

4 Transférez les oignons dans une jatte et laissez
refroidir. Ajoutez les lanières de poivron, les
palourdes et mélangez. Réservez.

5 Rabattez la pâte et pétrissez-la rapidement sur une
surface farinée. Couvrez-la avec la jatte à l'envers et
laissez reposer pendant 10 min. Ainsi elle sera plus facile
à étaler.

6 Farinez généreusement une plaque à pâtisserie
de 32 cm x 32 cm. Étalez la pâte jusqu'à former un
carré de 34 cm x 34 cm. Roulez légèrement les bords
vers l'intérieur. Piquez le fond avec une fourchette.

7 Répartissez la garniture sur la pâte. Préchauffez le
four à 230 °C/Th. 7 et faites cuire pendant 25 min.
Les bords de la tarte doivent être dorés et les oignons
bien colorés.

*Au verso Le saucisson et le jambon sec sont
deux spécialités de la gastronomie espagnole.*

chorizo et pois chiches
garbanzos con chorizo

1 Faites chauffer l'huile dans une poêle, à feu moyen. Ajoutez l'oignon et l'ail, faites fondre et blondir doucement en remuant de temps en temps. Ajoutez le chorizo coupé en dés et faites revenir en remuant jusqu'à ce que le tout soit bien chaud.

2 Versez le mélange dans une jatte et ajoutez les pois chiches et les *pimientos del piquillo*. Arrosez de vinaigre de xérès, salez et poivrez à volonté. Saupoudrez généreusement de persil haché. Servez chaud ou à température ambiante avec du pain grillé.

En Andalousie, on sert ce plat délicieusement épicé dans des ramequins en terre individuels, les cazuelas.

POUR 4 À 6 PERSONNES
4 cuill. à soupe d'huile d'olive
1 oignon finement haché
1 gousse d'ail écrasée
250 g de chorizo épluché et coupé en dés
  de 1 cm de côté
400 g de pois chiches en boîte rincés et égouttés
6 poivrons grillés nettoyés (voir p. 67), bien égouttés,
  épongés avec du papier absorbant, coupés en lanières
1 cuill. à soupe de vinaigre de xérès
sel, poivre
persil finement haché pour garnir
tranches de pain grillé pour servir

Les palmiers dattiers sont un héritage de l'époque maure.

minibrochettes
pinchitos de chorizo y champiñones

En Espagne, on appelle ces minibrochettes des pinchos, ou petites bouchées. Faciles à réaliser, elles se dégustent sans faim et régaleront vos amis à l'apéritif. Servez-les accompagnées d'un choix de tapas traditionnelles.

POUR 25 TAPAS
2 cuill. à soupe d'huile d'olive
25 dés de chorizo de 1 cm de côté (environ 100 g)
25 têtes de petits champignons de Paris nettoyés
1 poivron vert grillé, pelé*, coupé en 25 morceaux égaux

1 Faites chauffer l'huile dans une poêle à feu moyen. Ajoutez le chorizo et faites revenir pendant 20 s, en remuant. Ajoutez les champignons et faites revenir pendant 1 ou 2 min jusqu'à ce qu'ils aient absorbé l'huile et pris une belle couleur dorée.

2 Sur un bâtonnet à cocktail, piquez un morceau de poivron, un dé de chorizo et une tête de champignon. Préparez ainsi 25 brochettes. Servez chaud ou à température ambiante.

* le truc du cuisinier
Pour peler les poivrons, coupez-les en deux dans le sens de la longueur. Éliminez le pédoncule, les graines et les parties blanches. Faites griller, la peau vers le haut, à environ 5 cm de la source de chaleur. Attendez que la peau noircisse et fasse des cloques. Sortez les poivrons du four et mettez-les 15 min dans un sac en plastique. Retirez la peau, les parties blanches et les pépins qui restent. Vous pouvez aussi les griller directement sur la flamme. Les poivrons se conservent ainsi jusqu'à 5 jours au réfrigérateur, couverts d'huile d'olive.

En ville comme dans les villages, le bar à tapas est un arrêt quotidien obligatoire.

boulettes de viande à la sauce tomate

albondiguitas con salsa de tomates

Les boulettes de viande sont un plat traditionnel espagnol : au XIIIᵉ siècle, on les servait déjà au cours des repas. Le mot albondigas, *qui signifie boulettes de viande, vient de l'arabe* al-bunduq, *noisette, probablement en raison de leur forme. Ces boulettes sont de taille variable, à base de bœuf, de porc ou d'agneau. On les mange frites ou cuites au four. Servez-les à l'apéritif*, avec des bâtonnets à cocktail, ou réalisez des brochettes de trois pour un repas plus substantiel, appelé* ración.

Accompagnez-les de sauce mojo (voir p. 84) ou d'aïoli (voir p. 232).

POUR 60 PIÈCES

huile d'olive

1 oignon rouge finement haché

500 g d'agneau haché

1 œuf battu

2 cuill. à café de jus de citron

½ cuill. à café de cumin moulu

1 pincée de poivre de Cayenne, selon votre goût

2 cuill. à soupe de menthe finement ciselée

sel, poivre

300 ml de sauce tomate aux poivrons (voir p. 236)
   pour servir

* le truc du cuisinier

Les boulettes font un plat idéal pour les grandes fêtes. Préparez-les à l'avance, ainsi que la sauce, et servez-les à température ambiante. Si vous les avez congelées, sortez-les du congélateur 3 h à l'avance pour qu'elles atteignent la bonne température.

1 Faites chauffer 1 cuill. à soupe d'huile dans une poêle, à feu doux. Ajoutez l'oignon et faites fondre et blondir pendant 5 min en remuant de temps en temps. Ne laissez pas roussir.

2 Retirez la poêle du feu et laissez refroidir. Mélangez la viande, l'oignon, l'œuf battu, le jus de citron, le cumin, le poivre de Cayenne et la menthe. Salez et poivrez. Mélangez intimement. Faites frire une petite quantité et goûtez pour rectifier l'assaisonnement si nécessaire.

3 Avec les mains humides, formez 60 boulettes d'environ 2 cm de diamètre. Déposez-les sur un plat et mettez au frais pendant 20 min au moins.

4 Faites chauffer un peu d'huile dans une ou deux poêles (la quantité d'huile dépend de la teneur en matière grasse de la viande). Faites frire par petites quantités, pendant environ 5 min. Faites bien dorer les boulettes sur toutes les faces, mais conservez l'intérieur rosé. Au fur et à mesure de la cuisson, réservez les boulettes cuites au chaud.

5 Faites doucement réchauffer la sauce tomate aux poivrons et servez-la avec les boulettes : chacun pourra y tremper les siennes. Les boulettes sont bonnes chaudes ainsi qu'à température ambiante.

78

foies de volaille glacés au vinaigre de xérès
hígadillos al jerez

POUR 4 À 6 PERSONNES

500 g de foies de volaille

2 cuill. à soupe d'huile d'olive

2 échalotes finement hachées

2½ cuill. à soupe de vinaigre de xérès

2 cuill. à soupe de xérès

200 ml de bouillon de volaille

1 branche de thym

2 cuill. à café de miel blond

1 pincée de poivre de Cayenne, selon votre goût

sel, poivre

persil finement haché pour garnir

La campagne espagnole offre une infinie variété de paysages et de spécialités gastronomiques.

1 Nettoyez les foies de volaille : retirez les veines et les parties vertes. Épongez avec du papier absorbant.

2 Faites chauffer l'huile dans une poêle, à feu moyen. Ajoutez les foies de volaille et faites cuire par petites quantités, pendant 5 min environ, en remuant de temps en temps. Faites dorer l'extérieur en conservant l'intérieur légèrement rosé. Vérifiez la cuisson en coupant avec un couteau. Transférez les foies de volaille dans un plat allant au four et réservez à chaleur douce.

3 Dans la poêle, faites cuire les échalotes, le vinaigre et le xérès. Portez à ébullition, remuez pour décoller les sucs. Incorporez le bouillon de volaille, le thym, le miel et le poivre de Cayenne. Laissez réduire pour obtenir 4 cuill. à soupe de jus.

4 Remettez les foies de volaille dans la poêle, remuez pour les enrober de jus. Goûtez et rectifiez l'assaisonnement. Saupoudrez de persil haché. Servez immédiatement avec des bâtonnets à cocktail.

fèves au jambon
habas con jamón

POUR 4 À 6 PERSONNES

250 g de fèves fraîches ou congelées

2 cuill. à soupe d'huile d'olive

1 oignon rouge doux, finement émincé

1 tranche de jambon cru d'épaisseur moyenne,
   découpée en morceaux

persil finement haché à volonté

sel, poivre

pain blanc ou baguette

1 Remplissez une grande casserole d'eau, salez et portez à ébullition. Ajoutez les fèves et laissez bouillir de 5 à 10 min, jusqu'à ce que les fèves soient tendres. Égouttez, mettez dans l'eau glacée pour arrêter la cuisson. Retirez la peau des fèves.

2 Pendant ce temps, faites chauffer à feu moyen, dans une poêle, 1 cuill. à soupe d'huile. Ajoutez l'oignon et faites fondre et blondir pendant environ 5 min. Ajoutez les fèves.

3 Ajoutez le jambon (du serrano de préférence), le persil et rectifiez l'assaisonnement. Le jambon étant salé, goûtez d'abord. Transférez dans un plat de service et arrosez d'huile d'olive. Servez à température ambiante avec des tranches de pain.

Les couleurs chaudes des villes de la grande plaine centrale se perdent dans le paysage environnant.

82

asperges rôties au jambon
espárragos asados con jamón serrano

À la fin du mois d'avril, la saison des asperges blanches ou vertes, légumes préférés des Espagnols, bat son plein. Les restaurants les proposent souvent en plat du jour, le *plato del dia. On leur conserve une tige longue pour empêcher la tête de flétrir.*

En tapas, disposez-les sur un plat, la sauce présentée dans un bol séparé. En entrée, servez-les sur des assiettes individuelles, légèrement nappées de sauce.

POUR 4 À 6 PERSONNES
gros sel
24 asperges nettoyées
environ 2 cuill. à soupe d'huile d'olive
poivre
12 fines tranches de jambon coupées en deux dans le sens de la longueur
1 portion de sauce romesco (voir p. 233) ou d'aïoli (voir p. 232) pour servir

1 Couvrez le fond d'une plaque à rôtir d'une couche de gros sel. Badigeonnez les asperges d'huile d'olive, puis déposez-les sur le gros sel, en une seule couche.

2 Préchauffez le four à 220 °C/Th. 6. Faites cuire les asperges de 12 à 15 minutes jusqu'à ce qu'elles soient tendres. Vérifiez la cuisson avec la pointe d'un couteau. Retirez du four et poivrez au moulin, selon votre goût.

3 Dès que vous pouvez saisir les asperges, enveloppez-les individuellement d'une tranche de jambon, du serrano de préférence. Servez chaud, tiède ou à température ambiante. Accompagnez d'un bol de sauce romesco ou d'aïoli.

pommes de terre en robe de sel
papas arrugadas con mojo

Servez ce plat traditionnel des îles Canaries avec beaucoup d'eau ou de bière bien fraîche. Les pommes de terre, cuites dans une eau abondamment salée, sont enrobées d'une fine pellicule blanche : ce sel et l'accompagnement de sauce piquante donnent soif ! Choisissez une variété de pommes de terre bien fermes.

POUR 4 À 6 PERSONNES

70 g de gros sel

24 petites pommes de terre roses non épluchées

pour la sauce mojo

40 g de mie de pain en petits morceaux

2 gousses d'ail

½ cuill. à café de sel

1½ cuill. à soupe de paprika

1 cuill. à soupe de cumin en poudre

environ 2 cuill. à soupe de vinaigre de vin rouge

environ 5 cuill. à soupe d'huile d'olive

2 poivrons grillés nettoyés (voir p. 67) et égouttés

1 Dans une casserole, versez 2 ou 3 cm d'eau. Ajoutez le gros sel en remuant, puis les pommes de terre, toujours en remuant. Il n'est pas utile qu'elles soient totalement couvertes d'eau. Posez un torchon plié sur les pommes de terre et portez à ébullition. Réduisez le feu et laissez frémir pendant 20 min, jusqu'à ce que les pommes de terre soient cuites mais restent fermes.

2 Ôtez le torchon, égouttez les pommes de terre puis remettez-les dans la casserole vide. Lorsque le torchon est tiède, essorez l'eau salée qu'il contient dans la casserole. Mettez la casserole à feu doux et secouez jusqu'à ce que les pommes de terre soient sèches et enrobées d'une fine pellicule de sel. Retirez du feu.

3 Pendant ce temps, réalisez la sauce mojo. Mettez le pain dans un bol et couvrez d'eau. Laissez reposer pendant 5 min. Avec vos mains, essorez le pain. Écrasez l'ail et le sel dans un mortier pour obtenir une pâte. Ajoutez le paprika et le cumin. Transférez le tout dans un mixeur, ajoutez 2 cuill. à soupe de vinaigre et mélangez. Ajoutez le pain et 2 cuill. à soupe d'huile et mélangez à nouveau.

4 Le moteur en marche, ajoutez petit à petit les *pimientos del piquillo* et réduisez en purée souple. Incorporez à nouveau de l'huile jusqu'à obtention d'une sauce épaisse et lisse. Goûtez, rectifiez l'assaisonnement en ajoutant du vinaigre si nécessaire.

5 Pour servir, coupez les pommes de terre en deux et piquez-les avec des bâtonnets à cocktail. Servez accompagné d'un bol de sauce. Les pommes de terre se mangent chaudes ou à température ambiante.

pommes de terre à la catalane
patatas bravas

Ce classique plat catalan est une invention diabolique : la sauce pimentée est une véritable épreuve pour le palais. Chaque cuisinier en possède une recette qu'il veut « authentique » : les pommes de terre sont quelquefois frites et on mélange parfois l'aïoli et l'huile pimentée. Ici, nous proposons la recette du Bar Tomás, un bar à tapas chic du quartier de Sarrià à Barcelone : La Vanguardia, *journal catalan, lui a décerné le titre des meilleures* patatas bravas *de la ville.*

POUR 6 PERSONNES
pour l'huile pimentée
150 ml d'huile d'olive
2 petits piments rouges, incisés
1 cuill. à café de paprika fort

1 portion de pommes de terre sautées (voir p. 247)
1 portion d'aïoli (voir p. 232)

1 Faites chauffer l'huile dans une poêle, ajoutez les piments et faites revenir à feu vif. Retirez du feu et incorporez le paprika. Laissez refroidir, puis versez dans un récipient à bec verseur.

2 Faites frire les pommes de terre et, pendant qu'elles refroidissent, préparez l'aïoli.

3 Pour servir, répartissez les pommes de terre sur six assiettes et accompagnez de 1 cuill. à soupe d'aïoli. Arrosez d'huile pimentée et servez chaud ou à température ambiante. En Espagne, on les sert avec des bâtonnets à cocktail.

caviar d'aubergines
salsa de berenjenas

POUR 6 À 8 PERSONNES

1 aubergine d'environ 400 g

huile d'olive

2 cives finement émincées

1 gousse d'ail finement émincée

2 cuill. à soupe de persil finement haché

sel, poivre

paprika pour garnir

pain blanc pour servir

1 Coupez l'aubergine en tranches épaisses et saupoudrez de sel afin d'en éliminer l'amertume. Laissez reposer pendant 30 min. Rincez et épongez avec du papier absorbant.

2 Dans une poêle, faites chauffer 4 cuill. à soupe d'huile, à feu moyen. Ajoutez les tranches d'aubergines et faites frire des deux côtés, jusqu'à ce qu'elle soient tendres et dorées. Retirez de la poêle et laissez refroidir. Les aubergines rendent leur graisse en refroidissant.

3 Faites chauffer 1 cuill. d'huile dans la poêle. Ajoutez les cives et l'ail et faites fondre pendant 3 min. Retirez du feu et laissez refroidir avec les aubergines.

4 Versez tous les ingrédients dans un mixeur et réduisez en purée grossière. Transférez le tout dans le plat de service et ajoutez le persil. Mélangez bien. Goûtez et rectifiez l'assaisonnement si nécessaire. Servez immédiatement ou couvrez et mettez au frais. Sortez du réfrigérateur 15 min avant de servir. Saupoudrez de paprika et servez avec du pain blanc.

salade de morue à la catalane
esqueixada

Dans les restaurants élégants de Barcelone, on sert la morue en tranches très fines, entourée de dés de tomate, de poivron et d'olives*. Notre version, plus rustique, se déguste dans les petits bistrots de campagne. Le poisson reste cru : il « cuit » dans le jus de citron et le vinaigre.

POUR 4 À 6 PERSONNES

400 g de morue séchée et salée, en une seule pièce

6 cives finement émincées en diagonale

huile d'olive

1 cuill. à soupe de vinaigre de xérès

1 cuill. à soupe de jus de citron

poivre

2 poivrons rouges grillés, pelés (voir p. 74) et épépinés, coupés en dés fins

12 olives noires dénoyautées, coupées en tranches

2 tomates en tranches fines pour servir

2 cuill. à soupe de persil finement haché pour garnir

1 Dans une jatte, couvrez la morue d'eau froide et laissez dessaler pendant 48 h au moins. Changez l'eau régulièrement.

2 Éliminez tout l'excédent d'eau en épongeant le poisson avec du papier absorbant. Éliminez la peau et les arêtes, puis émiettez délicatement la chair.

Mettez dans un saladier avec les cives, l'huile, le vinaigre et le jus de citron. Mélangez bien. Poivrez au moulin, couvrez et mettez au réfrigérateur. Laissez mariner pendant 3 h.

3 Ajoutez les dés de poivron et les olives. Goûtez et rectifiez l'assaisonnement si nécessaire. Attention au sel : le poisson et les olives en apportent déjà une bonne quantité. Disposez les tranches de tomate sur un plat ou des assiettes individuelles et couvrez avec la salade de morue. Saupoudrez de persil et servez.

* le truc du cuisinier

Pour la version plus raffinée, mettez la morue dessalée au congélateur pendant 30 min, puis découpez-la en tranches fines. Non congelée, la morue est trop molle pour être découpée.

variantes

Pour un apéritif estival, coupez des tomates cerises en deux et évidez-les avec une cuillère à café. Saupoudrez l'intérieur de sel et retournez-les sur du papier absorbant. Laissez reposer pendant 30 min. Remplissez les tomates de salade de morue et décorez avec du persil haché.

Avec cette même salade, vous pouvez aussi farcir des *pimientos del piquillo* (voir recette p. 67).

90

fromage frit
queso frito

L'effet de la chaleur développe le goût légèrement piquant du manchego, un fromage au lait de brebis de la Manche. Servez ce plat dès sa cuisson et n'attendez pas : le fromage devient rapidement élastique en reposant.

POUR 16 PIÈCES
200 g de manchego
50 g de chapelure
1 cuill. à café de thym séché
1 œuf
huile d'olive
1 portion de sauce romesco (voir p. 233)
   en accompagnement (facultatif)

1 Retirez la croûte du fromage et coupez-le en 16 quartiers de ½ à 1 cm d'épaisseur. Réservez. Dans une assiette, mélangez la chapelure et le thym. Battez l'œuf dans une assiette creuse.

2 Trempez les quartiers de fromage dans l'œuf, puis dans la chapelure, en les enrobant uniformément.

3 Nappez d'huile le fond d'une poêle, faites chauffer à feu moyen. Pour vérifier la température, trempez-y un morceau de pain rassis : il doit dorer en 30 s. Faites frire et dorer les quartiers de fromage pendant environ 30 s de chaque côté. Travaillez en plusieurs fois, pour que la friture reste bien chaude.

4 Au fur et à mesure, retirez les quartiers frits de la poêle et égouttez-les sur du papier absorbant. Laissez tiédir légèrement et servez avec un bol de sauce romesco, selon votre goût.

Le soleil se couche derrière l'imposante colonne dressée sur la place d'une ville.

petites bouchées
montaditos

Dans le nord de l'Espagne, chaque bar à tapas propose ces bouchées de pain tartinées de préparations à base de mayonnaise. L'ensaladilla rusa, la classique salade russe constituée de dés de pommes de terre, de haricots, de carottes et de petits pois, est la plus facile à composer. Les différents ingrédients se trouvent tout prêts dans les épiceries et les supermarchés. Les deux salades que nous proposons conviennent également pour farcir les pimientos del piquillo (voir p. 67).

POUR 12 OU 14 BOUCHÉES

pour la salade de pommes de terre

200 g de pommes de terre nouvelles, cuites à l'eau

½ cuill. à soupe de vinaigre de vin blanc

sel, poivre

3 ou 4 cuill. à soupe de mayonnaise ou d'aïoli (voir p. 232)

2 œufs durs écalés, finement hachés

2 cives entières finement hachées

12 ou 14 olives noires dénoyautées, coupées en rondelles

pour la salade de thon

200 g de thon à l'huile d'olive, égoutté

4 cuill. à soupe de mayonnaise ou d'aïoli (voir p. 232)

2 œufs durs écalés, finement hachés

**1 tomate grillée, pelée, épépinée (voir p. 63),
   finement hachée**

2 cuill. à café de zeste de citron râpé

poivre de Cayenne, selon votre goût

sel, poivre

12 ou 14 filets d'anchois à l'huile égouttés pour garnir

**24 ou 28 tranches de baguette, coupées en diagonale,
   d'environ 5 mm d'épaisseur**

1 Épluchez les pommes de terre dès qu'elles ont légèrement tiédi. Coupez-les en dés de 5 mm de côté environ. Arrosez de vinaigre, salez et poivrez selon votre goût. Réservez jusqu'à complet refroidissement. Ajoutez la mayonnaise ou l'aïoli en remuant délicatement, puis les œufs durs et les cives. Goûtez et rectifiez l'assaisonnement si nécessaire. Tartinez généreusement la moitié des tranches de pain de salade de pommes de terre et décorez avec les rondelles d'olives.

2 Émiettez le thon dans un bol. Ajoutez la mayonnaise ou l'aïoli, puis les œufs durs, la tomate, le zeste de citron et le poivre de Cayenne. Goûtez et rectifiez l'assaisonnement si nécessaire. Tartinez généreusement les tranches de pain restantes de salade de thon et décorez avec les filets d'anchois.

salade de courgettes

ensalada de calabacines a la morisca

L'introduction des pignons de pin et des raisins secs dans la cuisine espagnole date de la présence des Maures, entre 711 av. J.-C. et 1492.

Présentez la salade de courgettes sur de fines tranches de pain pour la servir en tapas, sur un lit de laitue pour la déguster en entrée, ou encore en accompagnement d'un poulet rôti. Préparez-la au moins 4 h à l'avance pour que les parfums se mélangent bien.

POUR 4 À 6 PERSONNES

environ 4 cuill. à soupe d'huile d'olive

1 gousse d'ail coupée en deux

500 g de petites courgettes finement émincées*

50 g de pignons de pin

50 g de raisins secs

3 cuill. à soupe de feuilles de menthe hachées

environ 2 cuill. à soupe de jus de citron

sel, poivre

1 Dans une poêle, faites chauffer l'huile à feu moyen. Ajoutez l'ail et laissez dorer pour parfumer l'huile. Retirez et jetez la gousse d'ail. Ajoutez les courgettes et faites revenir rapidement en remuant afin qu'elles restent fermes. Transférez-les dans le plat de service.

2 Ajoutez les pignons de pin, les raisins secs, la menthe, le jus de citron. Salez et poivrez. Mélangez le tout et goûtez. Rectifiez l'assaisonnement en ajoutant de l'huile et du jus de citron si nécessaire.

3 Réservez et laissez refroidir. Couvrez et mettez au réfrigérateur pendant 3½ h au moins. Sortez du réfrigérateur 10 min avant de servir.

* le truc du cuisinier

Pour cette salade, choisissez de toutes petites courgettes bien tendres. Le cas échéant, coupez les courgettes en deux ou en quatre dans le sens de la longueur et faites des tranches très fines.

variante

Pour donner plus de saveur, hachez 4 filets d'anchois à l'huile et ajoutez-les à l'étape n° 2.

96

figues au fromage
higos con queso

*Associez les figues et le fromage pour proposer
à vos convives une entrée délicieuse et originale.
Le cabrales, affiné dans les caves en tuffeau, est
le fromage bleu le plus réputé d'Espagne, mais un
bleu d'Auvergne, plus doux, convient également.*

POUR 6 PERSONNES
pour les amandes caramélisées
100 g de sucre en poudre
100 g d'amandes entières, blanchies ou non

12 figues bien mûres
350 g de fromage bleu émietté
huile d'olive

*Une terrasse au soleil est fin prête
pour accueillir les clients.*

1 Commencez par les amandes caramélisées. Mettez
le sucre dans une poêle à feu moyen et remuez
jusqu'à ce qu'il fonde, prenne une couleur dorée et fasse
des bulles. Arrêtez immédiatement de remuer. Retirez
du feu et ajoutez les amandes une à une. Retournez-les
rapidement avec une fourchette. Si le caramel durcit,
remettez la poêle sur le feu. Transférez les amandes sur
du papier sulfurisé légèrement beurré. Laissez refroidir*.

2 Pour servir, coupez les figues en deux. Disposez
quatre moitiés sur chaque assiette. Broyez
grossièrement les amandes. Déposez un peu de fromage
au milieu de l'assiette, éparpillez les amandes par-dessus
et arrosez très légèrement les figues d'huile d'olive.

variante
Pour cette recette, vous pouvez aussi caraméliser
des cerneaux de noix.

* le truc du cuisinier
Conservez les amandes jusqu'à 3 jours dans un récipient
hermétique. Au-delà de ce laps de temps, elles
ramollissent.

gaspacho
gazpacho

Le gaspacho est une soupe froide aussi rafraîchissante et désaltérante qu'un jus de fruit.

POUR 4 À 6 PERSONNES

500 g de tomates pelées, épépinées (voir p. 63)
   et hachées

3 poivrons rouges nettoyés, épépinés et hachés

environ 2 cuill. à soupe de vinaigre de xérès

4 cuill. à soupe d'huile d'olive

1 pincée de sucre

sel, poivre

pour servir

glaçons

poivron rouge coupé en petits dés

poivron vert coupé en petits dés

poivron jaune coupé en petits dés

concombre épépiné et coupé en petits dés

œufs durs finement hachés

croûtons frits dans l'huile d'olive parfumée à l'ail

1 Rassemblez dans un mixeur les tomates, les poivrons rouges, 2 cuill. à soupe de vinaigre, l'huile et le sucre. Réduisez en purée fine ou plus grossière selon votre goût. Couvrez et mettez au frais pendant 4 h au moins avant de servir. Goûtez et rectifiez l'assaisonnement. Ajoutez un peu de vinaigre si nécessaire*.

2 Pour servir, versez la soupe dans des bols individuels, où vous ajouterez 1 ou 2 glaçons. Répartissez la garniture dans des bols afin que chacun se serve selon son goût.

* le truc du cuisinier

Le froid estompe les saveurs : n'hésitez pas à assaisonner davantage que pour une soupe chaude. Pour cette raison, goûtez la soupe lorsqu'elle est bien glacée.

La chaleur de midi ralentit les rythmes et incite à la décontraction.

soupe aux tomates grillées
sopa de tomates asados

L'Andalousie et les îles Canaries sont les plus grosses productrices de tomates d'Europe. Sur place, elles sont juteuses, brillantes et parfumées, mais quand elles nous arrivent, elles sont souvent pâles et insipides. Grâce à l'ajout de concentré de tomate et de xérès, la soupe proposée dans cette recette gagnera en saveur. Servez-la chaude ou froide, selon votre préférence. Elle diffère du gaspacho (voir p. 99) aussi bien par sa texture que par son goût.

POUR 4 À 6 PERSONNES

1 kg de tomates coupées en deux

2 cuill. à soupe de beurre

1 cuill. à soupe d'huile d'olive

1 oignon émincé

2 ou 3 cuill. à soupe de concentré de tomate,
  en fonction de la maturité des tomates

1 litre de bouillon de volaille

2 cuill. à soupe de xérès

½ cuill. à café de sucre

sel, poivre

pain frais croustillant pour servir

1 Préchauffez le gril à la chaleur maximale. Placez les tomates coupées en deux, chair vers le haut, sur la plaque du four et faites-les griller à environ 10 cm de la source de chaleur, pendant 5 min, jusqu'à ce qu'elles commencent à noircir sur les bords.

2 Pendant ce temps, faites fondre le beurre et l'huile dans une casserole. Ajoutez l'oignon et faites fondre pendant 5 min en remuant de temps en temps. Ajoutez le concentré de tomate et laissez cuire pendant 2 min.

3 Ajoutez les tomates, le bouillon, le xérès, le sucre. Salez, poivrez et mélangez le tout. Portez à ébullition, baissez le feu et laissez frémir pendant 20 min jusqu'à réduire les tomates à l'état de pulpe.

4 Passez la soupe au moulin à légumes* dans une soupière. Rincez la casserole, versez-y la soupe et réchauffez à découvert à légers frémissements pendant 10 min, jusqu'à obtention de la consistance désirée. Versez dans des bols individuels et servez avec du pain.

* le truc du cuisinier
Vous pouvez aussi mouliner la soupe au mixeur. Dans ce cas passez-la dans un chinois ou une passoire fine pour obtenir une consistance lisse et éliminer les peaux.

Lorsque vous la servez froide, ajoutez 1 cuill. de crème fraîche dans chaque bol et saupoudrez de persil.

soupe à l'ail
ajo blanco

POUR 4 À 6 PERSONNES

500 g de pain de campagne légèrement rassis,
  sans la croûte et émietté

5 gousses d'ail coupées en deux

150 ml d'huile d'olive, plus pour arroser

4 ou 5 cuill. à soupe de vinaigre de xérès,
  selon votre goût

300 g d'amandes moulues

500 ml d'eau froide

sel, poivre blanc

grains de raisin sans pépins pour garnir

1 Mettez le pain dans une jatte, couvrez d'eau froide et laissez reposer pendant 15 min. Essorez le pain et mettez-le dans un mixeur.

2 Ajoutez l'ail, l'huile, 4 cuill. à soupe de vinaigre de xérès, les amandes moulues et 200 ml d'eau. Réduisez en purée.

3 Le mixeur en marche, versez doucement le reste de l'eau jusqu'à former une soupe onctueuse. Goûtez et ajoutez du vinaigre si nécessaire. Couvrez et mettez au frais pendant 4 h au moins.

4 Avant de servir, mélangez bien, goûtez et rectifiez l'assaisonnement. Versez dans des bols individuels, ajoutez les grains de raisin et arrosez d'huile d'olive.

L'architecture des villes espagnoles porte les traces de son passé maure.

poivrons farcis
pimientos rellenos

Les poivrons farcis peuvent se servir en tapas, en entrée ou en guise de déjeuner léger, avec une salade de tomates, du poulet ou une viande rôtie.

POUR 6 PERSONNES

6 cuill. à soupe d'huile d'olive, plus pour frotter
  les poivrons

2 oignons finement hachés

2 gousses d'ail écrasées

150 g de riz à grains courts

50 g de raisins secs

50 g de pignons de pin

50 g de persil finement haché

sel, poivre

1 cuill. à soupe de concentré de tomate délayé
  dans 700 ml d'eau chaude

de 4 à 6 poivrons mélangés (rouges, verts et jaunes)
  ou 6 poivrons longs

1 Faites chauffer l'huile dans une sauteuse. Ajoutez les oignons et faites revenir pendant 3 min. Ajoutez l'ail et faites fondre pendant 2 min encore sans faire roussir les oignons.

2 Ajoutez le riz, les raisins secs, les pignons de pin. Remuez pour les enrober d'huile. Incorporez la moitié du persil. Salez et poivrez. Ajoutez le concentré de tomate délayé et portez à ébullition. Baissez le feu et laissez frémir à découvert pendant 20 min en remuant fréquemment la casserole, jusqu'à ce que le riz ait absorbé le liquide et soit moelleux. Soyez vigilants, car les raisins secs attachent facilement. Ajoutez le reste du persil, réservez et laissez tiédir.

3 Pendant ce temps, coupez un chapeau à chaque poivron et réservez. Éliminez les parties blanches et les graines*.

4 Répartissez la farce dans les poivrons. Couvrez avec les chapeaux que vous faites tenir avec des bâtonnets à cocktail. Frottez les poivrons avec un peu d'huile d'olive et disposez-les côte à côte sur une plaque de four. Préchauffez le four à 200 °C/Th. 6 et faites cuire les poivrons pendant 30 min, jusqu'à ce qu'ils soient tendres. Servez chaud ou à température ambiante.

* le truc du cuisinier
Pour éliminer les graines des poivrons longs, utilisez une petite cuillère ou un couteau pointu et grattez doucement la chair.

106

piperade
piperrada

POUR 4 À 6 PERSONNES

huile d'olive

1 oignon finement haché

1 poivron rouge nettoyé, épépiné et haché

1 poivron vert nettoyé, épépiné et haché

2 tomates pelées, épépinées (voir p. 63)
   et hachées

50 g de chorizo en tranches fines, sans la peau

30 g de beurre

10 œufs légèrement battus

sel, poivre

de 4 à 6 tranches de pain de campagne grillées
   pour servir

1 Dans une poêle, faites chauffer 2 cuill. à soupe
d'huile d'olive à feu moyen. Ajoutez l'oignon et les
poivrons et faites fondre pendant environ 5 min, sans
les faire roussir. Ajoutez les tomates et augmentez
le feu. Transférez dans un plat et réservez dans le four
tiède.

2 Versez 1 cuill. à soupe d'huile d'olive dans la poêle,
ajoutez le chorizo et faites cuire pendant 30 s, pour
parfumer l'huile. Ajoutez le chorizo aux légumes.

3 Versez encore un peu d'huile dans la poêle, ajoutez
le beurre et faites fondre. Salez et poivrez les œufs
légèrement battus, versez-les dans la poêle et remuez-
les pour les brouiller. Dès que les œufs ont atteint la
cuisson souhaitée, ajoutez les légumes, mélangez bien
et servez immédiatement sur des tranches de pain grillé
encore chaudes.

Les maisons espagnoles possèdent souvent des jardins.
Ici, un petit balcon permet de contempler le soir qui tombe.

salade d'oranges au fenouil
ensalada de naranjas e hinojo

POUR 4 PERSONNES

4 oranges juteuses

1 bulbe de fenouil finement émincé

1 oignon blanc doux finement émincé

2 cuill. à soupe d'huile d'olive

12 olives noires dénoyautées, finement émincées

1 piment rouge épépiné, finement émincé (facultatif)

persil finement haché

pain blanc pour servir

1 Grattez le zeste des oranges et reservez-le dans un bol. Avec un couteau cranté, retirez la peau blanche des oranges. Travaillez au-dessus d'un bol pour récupérer le jus. Coupez les oranges en tranches fines.

2 Mélangez les tranches d'oranges, le fenouil et l'oignon. Au fouet, mélangez l'huile et le jus d'orange et arrosez-en la salade. Parsemez de rondelles d'olives ou de piment (le cas échéant) et saupoudrez des zestes reservés et de persil. Servez avec du pain.

variantes

• Pour un repas plus consistant, accompagnez de salade de morue dessalée et cuite (voir p. 56).

• Réalisez une salade spectaculaire avec des oranges sanguines.

• Remplacez les olives par du raisin noir.

La Plaza de Catalunya, à Barcelone, est l'un des endroits les plus calmes de la ville.

110

chorizo et œufs de caille
chorizo y huevos de codorniz

1 Préchauffez le gril à la chaleur maximale. Posez les tranches de pain sur la plaque du four et faites griller des deux côtés.

2 Garnissez les tranches de pain de rondelles de chorizo entières ou pliées en deux. Réservez.

3 Tapissez d'huile le fond d'une poêle et faites chauffer à feu moyen. Pour vérifiez la température, trempez-y un morceau de pain rassis : il doit dorer en 30 s. Cassez les œufs dans la poêle* et faites cuire en ramenant l'huile sur les jaunes. Les blancs doivent être saisis et les jaunes cuits selon votre goût.

4 Retirez les œufs de la poêle et égouttez-les sur du papier absorbant. Disposez-les sur le chorizo et saupoudrez de paprika. Salez, poivrez et servez immédiatement.

* le truc du cuisinier
Malgré leur apparence fragile, les œufs de caille sont difficiles à casser car ils possèdent une membrane intérieure épaisse. Si nécessaire, utilisez des ciseaux pour la percer.

Ce plat, loin d'être traditionnel, fait partie des tapas à la mode servies dans les bars chics de Barcelone et de Madrid. Servez-les avec un verre de vin blanc frais.

POUR 12 TAPAS
12 tranches de baguette coupées en diagonale, d'environ 5 mm d'épaisseur
12 tranches fines de chorizo (environ 50 g)
huile d'olive
12 œufs de caille
paprika doux
sel, poivre

PLATS PRINCIPAUX

114 Ouverte à la fois sur la mer et sur l'océan, l'Espagne, grâce à cette particularité géographique, est riche en plats de poissons et de fruits de mer. Pourtant, les Espagnols sont aussi de grands amateurs de viande. Les recettes typiques des régions centrales témoignent de cette variété, en proposant une cuisine simple et roborative qui, contrairement à sa réputation, n'est ni lourde, ni indigeste.

En Espagne, les légumes sont servis avec la viande et le poisson, en plat unique ou encore seuls, mais rarement en accompagnement. Les plats comme les cuisses de poulet aux fèves et aux champignons (voir p. 126), le veau et légumes en escabèche (voir p. 139), l'agneau rôti à l'ail et au romarin (voir p. 143) et le cabillaud à la catalane (voir p. 169) en sont la preuve.

La paella (voir p. 121), en réalité originaire de la région de Valence, reste dans tous les esprits le plat national espagnol. Il s'agit d'un plat de riz safrané, auquel on ajoute de la volaille, des fruits de mer ou tout autre ingrédient, selon le goût et les possibilités du cuisinier. Le riz et les fruits de mer font excellent ménage, notamment dans le riz à l'encre (voir p. 122), où l'encre de seiche donne son étonnante couleur noire au riz.

Les menus des restaurants et des bars de la côte méditerranéenne affichent leurs spécialités de fritures à base de tout ce qui nage et vit dans la mer. Recréez chez vous une ambiance de vacances avec une friture de fruits de mer (voir p. 159).

Mais l'Espagne n'est pas seulement un pays chaud et ensoleillé : le porc aux poivrons (voir p. 140) et le sauté d'agneau aux pois chiches (voir p. 144) sont des plats d'hiver, riches et parfumés.

Les cailles aux raisins (voir p. 135), à la saveur douce et épicée, sont inspirées par l'amour inconditionnel des Espagnols pour la chasse et le gibier.

Les boulettes de viande aux petits pois (voir p. 136), le riz au chorizo et aux crevettes (voir p. 125) et les merguez aux lentilles (voir p. 147) sont des plats simples et familiaux.

La cuisine espagnole n'est pas faite pour les végétariens qui ne mangent ni poisson ni fruits de mer. Seuls quelques plats à base d'œufs, comme la piperade (voir p. 106) ou les œufs façon flamenco (voir p. 177), dont on peut éliminer le chorizo, tous deux délicieux, peuvent leur convenir, de même que la tortilla à l'espagnole (voir p. 42), qui demeure un grand classique. Les végétariens peuvent aussi opter pour les salades comme celle aux poivrons grillés (voir p. 178), originaire de Murcie. Servie avec du pain de campagne croustillant, elle fait office de plat principal. Les potagers espagnols fournissent l'Europe en légumes toute l'année. C'est cependant en saison que les légumes sont les meilleurs, ils entrent alors dans la composition de salades pleines de couleurs et

C'est en saison que les légumes sont les meilleurs, ils entrent alors dans la composition de salades pleines de couleurs et de saveurs.

de saveurs. On les apprécie surtout en été, en pleine canicule, avec de la viande cuite au barbecue.

On arrose volontiers les repas de quelques bonnes bouteilles de vin, indifféremment blanc ou rouge, sans trop de règles strictes quant à leur association avec un plat spécifique. On boit en général le vin local, qui convient tout naturellement aux plats régionaux. Au Pays basque et sur la côte de Gascogne, on aime boire le cidre produit dans la région.

Au verso *Le Palais Royal de Madrid se détache sur le ciel.*

paella

paella

Contrairement au risotto, le riz qui accompagne la paella n'est pas collant et humide. Chaque grain, légèrement enrobé d'huile, doit se détacher. Il ne faut surtout pas le remuer en cours de cuisson, mais baisser graduellement le feu et secouer occasionnellement la poêle pour qu'il n'attache pas au fond.

POUR 6 À 8 PERSONNES

2 pincées de safran en filaments

400 g de riz à grains courts

16 moules

environ 6 cuill. à soupe d'huile d'olive

de 6 à 8 cuisses de poulet désossées

150 g de chorizo, sans la peau, coupé en tranches
de 5 mm d'épaisseur

2 oignons hachés

4 gousses d'ail écrasées

1 cuill. à café de paprika fort ou doux, selon votre goût

100 g de haricots verts coupés en morceaux

100 g de petits pois congelés

1 litre de bouillon de viande ou de légumes, ou de fumet
de poisson

sel, poivre

16 crevettes crues, décortiquées et nettoyées (voir p. 64)

2 poivrons rouges grillés, pelés (voir p. 74) et émincés

30 g de persil finement haché

1 Mettez les filaments de safran dans un bol avec 4 cuill. à soupe d'eau chaude. Réservez. Mettez le riz dans une passoire et rincez-le jusqu'à obtention d'une eau claire. Réservez. Nettoyez les moules, ébarbez-les et supprimez les moules cassées ou ouvertes. Réservez.

2 Dans une poêle à paella ou une grande sauteuse de 30 cm de diamètre, faites chauffer à feu doux 3 cuill. à soupe d'huile d'olive. Ajoutez les cuisses de poulet et faites dorer la peau pendant 5 min environ. Réservez dans un bol.

3 Mettez le chorizo dans la poêle et faites revenir pendant 1 min jusqu'à ce qu'il commence à grésiller. Ajoutez au poulet.

4 Faites encore chauffer 3 cuill. à soupe d'huile. Ajoutez les oignons et faites fondre pendant 2 min. Ajoutez l'ail et le paprika et faites revenir pendant 3 min, jusqu'à faire dorer les oignons.

5 Incorporez le riz égoutté, les haricots et les petits pois et remuez pour enrober d'huile. Ajoutez les cuisses de poulet et le chorizo avec leur jus, puis le bouillon et le safran. Salez et poivrez. Portez à ébullition tout en remuant.

6 Baissez le feu et laissez frémir sans remuer pendant 15 min*. La plus grande partie du liquide est absorbée, mais le riz doit rester ferme.

7 Disposez sur le dessus les moules, les crevettes et les lanières de poivron. Couvrez la poêle et laissez frémir doucement sans remuer pendant 5 min, jusqu'à ce que les moules s'ouvrent et que les crevettes rosissent.

8 Supprimez les moules qui sont restées fermées. Goûtez et rectifiez l'assaisonnement. Saupoudrez de persil haché et servez immédiatement.

* le truc du cuisinier

Lors de votre première paella, pendant qu'elle mijote, préchauffez le four à 190 °C/Th. 5. La chaleur du gaz n'étant pas constante, il est difficile de savoir en combien de temps le liquide sera absorbé. S'il reste trop de liquide, couvrez le plat et mettez-le 10 min au four.

riz à l'encre
arroz negro

La méthode simple consiste à acheter des seiches nettoyées et prêtes à l'emploi chez le poissonnier. Vous pouvez vous procurer les sachets d'encre séparément. Si vous préférez une seiche entière, videz-la délicatement et veillez à ne pas casser la poche d'encre*. Utilisez du fumet de bonne qualité plutôt qu'un bouillon en tablette ou en poudre.

POUR 4 À 6 PERSONNES

400 g de riz à grains courts

6 cuill. à soupe d'huile d'olive

1 oignon finement émincé

2 gousses d'ail écrasées

2 tomates grillées, pelées, épépinées (voir p. 63), finement hachées

1 seiche nettoyée*, coupée en anneaux de 5 mm de large

1 litre de fumet de poisson

encre de la seiche ou sachet d'encre du commerce

sel, poivre

12 crevettes décortiquées et nettoyées (voir p. 64)

tentacules de la seiche

2 poivrons rouges grillés, pelés, épépinés (voir p. 74), émincés

1 portion d'aïoli (voir p. 232) en accompagnement

1 Mettez le riz dans une passoire et rincez-le jusqu'à obtention d'une eau claire. Réservez.

2 À feu moyen, faites chauffer l'huile dans une sauteuse ou dans une poêle. Ajoutez l'oignon et faites fondre pendant 3 min. Ajoutez les gousses d'ail et laissez dorer le tout pendant 2 min sans faire roussir.

3 Incorporez les tomates et laissez frémir jusqu'à ce qu'elles soient bien tendres. Ajoutez les anneaux de seiche et faites revenir jusqu'à les rendre opaques.

4 Ajoutez le riz et remuez pour l'enrober d'huile. Versez le fumet de poisson et l'encre de seiche.

Salez et poivrez. Portez à ébullition puis réduisez le feu et laissez frémir à découvert pendant 15 min, sans remuer. Secouez fréquemment la poêle pour décoller du fond. Attendez que le liquide soit quasi absorbé et que de petits cratères se forment à la surface.

5 Incorporez délicatement les crevettes, les tentacules et les lanières de poivron. Couvrez la poêle et laissez frémir pendant 5 min, jusqu'à ce que les crevettes rosissent et que les tentacules forment des boucles.

6 Goûtez et rectifiez l'assaisonnement. Servez avec de l'aïoli.

* le truc du cuisinier

Pour préparer la seiche : coupez les tentacules au niveau des yeux, éliminez le bec dur puis réservez les tentacules. Tenez le corps d'une main, et tirez sur la tête, ce qui aura pour effet d'extraire la poche intérieure. Réservez la poche d'encre et jetez le reste. Avec vos doigts, retirez l'os se trouvant dans la cavité. Frottez la seiche pour éliminer la membrane extérieure, coupez et jetez les nageoires. Rincez le corps et épongez avec du papier absorbant. Vous pouvez l'utiliser entier et le farcir ou le couper en anneaux, comme dans la recette de seiche à l'encre.

riz au chorizo et aux crevettes
arroz con chorizo y gambas

POUR 4 PERSONNES

2 cuill. à soupe d'huile d'olive

1 oignon haché

1 poivron rouge nettoyé, épépiné et haché

1 poivron vert nettoyé, épépiné et haché

2 gousses d'ail écrasées

1 tomate hachée

200 g de riz à grains courts

sel, poivre

200 g de chorizo, sans la peau, coupé en tranches
de 5 mm d'épaisseur

450 ml de bouillon de volaille ou de légumes,
ou de fumet de poisson

450 g de grosses crevettes crues, décortiquées
et dénervées (voir p. 64)

2 cuill. à soupe de persil finement haché
pour servir

*En Espagne, comme dans toute l'Europe, on trouve
tous les produits de consommation courante qui
facilitent la vie quotidienne. Les habitudes s'en
trouvent changées. Ainsi on utilise un peu partout le
riz à grains longs, vite cuit. Si vous ne trouvez pas de
riz espagnol à grains courts, choisissez votre variété
favorite pour cuisiner ce plat simple et roboratif.*

1 Dans une sauteuse, faites chauffer l'huile à feu
moyen. Ajoutez l'oignon et les poivrons et faites
fondre pendant 2 min. Ajoutez l'ail et continuez à faire
revenir en remuant de temps en temps, pendant 3 min,
jusqu'à faire blondir les oignons.

2 Incorporez la tomate et le riz. Salez et poivrez puis
laissez cuire pendant 2 min.

3 Ajoutez le chorizo en remuant, puis le bouillon ou le
fumet, et portez à ébullition. Baissez le feu et laissez
frémir pendant environ 15 min, jusqu'à ce que le riz soit
tendre et encore humide.

4 Ajoutez les crevettes, couvrez et laissez cuire 5 min,
jusqu'à ce qu'elles rosissent. Attendez que tout le
liquide soit absorbé. Si le riz reste trop humide, laissez
frémir 2 min à découvert. Goûtez et rectifiez
l'assaisonnement. Saupoudrez de persil haché et servez.

126

cuisses de poulet aux fèves et aux champignons
muslos de pollo con habas y champiñones

Les fèves sont souvent mal aimées en raison de leur couleur et de leur peau épaisse. Si elles ne sont pas toutes jeunes, faites-les blanchir avant de les cuire.

POUR 4 PERSONNES

300 g de fèves fraîches ou congelées, épluchées

huile d'olive

8 cuisses de poulet désossées

1 oignon finement émincé

1 gousse d'ail écrasée

500 g de champignons de Paris nettoyés,
   en tranches épaisses

sel, poivre

500 ml de bouillon de volaille

persil finement haché pour garnir

pommes de terre sautées (voir p. 247),
   en accompagnement

1 Pour blanchir les fèves : portez à ébullition une grande quantité d'eau salée, ajoutez les fèves et laissez bouillir de 5 à 10 min, jusqu'à ce qu'elles soient juste tendres. Égouttez et versez dans de l'eau froide pour arrêter la cuisson. Ôtez la peau et réservez.

2 Faites chauffer 2 cuill. à soupe d'huile dans une sauteuse, à feu moyen. Ajoutez 4 cuisses de poulet, faites revenir et dorer à feu vif, pour rendre la peau croustillante. Retirez de la sauteuse et tenez au chaud.

Faites revenir les 4 autres cuisses de poulet, en rajoutant de l'huile si nécessaire.

3 Jetez l'excédent de graisse de la sauteuse en en conservant toutefois 2 cuill. à soupe. Ajoutez l'oignon, faites-le fondre pendant 3 min, puis ajoutez l'ail et faites revenir et dorer l'oignon pendant 2 min. Incorporez les champignons en remuant. Salez, poivrez et faites revenir pendant 2 min jusqu'à ce que les champignons aient absorbé l'huile et expriment leur jus.

4 Remettez les cuisses de poulet dans la sauteuse. Versez le bouillon de volaille et portez à ébullition. Réduisez le feu, couvrez et laissez mijoter pendant 15 min.

5 Ajoutez les fèves et laissez frémir pendant 5 min, jusqu'à ce que les fèves soient tendres* et que les cuisses de poulet rendent un jus clair lorsqu'on les pique. Goûtez et rectifiez l'assaisonnement. Saupoudrez de persil haché et servez avec des pommes de terre sautées.

le truc du cuisinier

Les fèves non blanchies nécessitent une cuisson plus longue, pouvant aller jusqu'à 20 min pour les plus grosses. Ajoutez les fèves congelées à l'étape n° 5, et laissez mijoter pendant 5 min.

poulet à l'ail

pollo ajo

Chaque restaurant espagnol propose sa version de ce plat. La lente cuisson de l'ail lui enlève son âcreté, le rend tendre et moelleux. Écrasez-le sur le bord de votre assiette et étalez-le sur les morceaux de poulet. Servez avec des pommes de terre sautées (voir p. 247).

POUR 4 À 6 PERSONNES
4 cuill. à soupe de farine
paprika fort ou doux, selon votre goût
sel, poivre
1 poulet d'environ 2 kg, coupé en 8
de 4 à 6 cuill. à soupe d'huile d'olive
24 gousses d'ail épluchées et coupées en deux
500 ml de bouillon de volaille, de préférence maison
4 cuill. à soupe de vin blanc sec de type rioja
1 bouquet garni formé de 2 brins de persil,
  de 1 feuille de laurier et de 1 branche de thym
persil et thym pour garnir

1 Versez la farine dans une assiette, ajoutez le paprika, le sel et le poivre. Enrobez les morceaux de poulet de farine et secouez-les pour éliminer l'excédent.

2 Dans une poêle, faites chauffer 4 cuill. à soupe d'huile, à feu moyen. Ajoutez l'ail et faites revenir pendant environ 2 min, en remuant fréquemment, pour parfumer l'huile. Retirez-le avec une écumoire et réservez sur du papier absorbant.

3 Faites revenir les morceaux de poulet en plusieurs fois, en rajoutant de l'huile si nécessaire. Laissez cuire pendant 5 min environ jusqu'à ce que la peau soit dorée. Retournez et faites encore revenir pendant 5 min.

4 Versez l'excédent de graisse. Remettez le poulet et l'ail dans la poêle, ajoutez le bouillon de volaille, le vin et le bouquet garni. Portez à ébullition, réduisez le feu, couvrez et laissez cuire de 20 à 25 minutes, jusqu'à ce que le poulet soit tendre et l'ail moelleux.

5 Transférez les morceaux de poulet sur le plat de service et gardez au chaud. Portez le liquide de cuisson à ébullition, avec l'ail et le bouquet garni, et laissez réduire jusqu'à obtention d'environ 300 ml de sauce. Retirez du feu, jetez le bouquet garni. Goûtez et rectifiez l'assaisonnement si nécessaire.

6 Nappez le poulet de sauce et d'ail. Garnissez avec le persil et le thym et servez.

poulet au paprika sur lit d'oignons
pollo al pimentón sobre cebollas y jamón

La marinade au citron rend la viande plus tendre.
Laissez reposer pendant 12 h pour bien parfumer.

POUR 4 PERSONNES

4 blancs de poulet avec la peau

150 ml de jus de citron

1 ou 1½ cuill. à café de paprika doux ou fort

sel, poivre

environ 2 cuill. à soupe d'huile d'olive

70 g de jambon cru, coupé en dés

4 oignons finement émincés

150 ml de vin blanc sec

150 ml de bouillon de volaille

thym ou persil haché pour garnir

1 Mettez les blancs de poulet dans une jatte. Versez le jus de citron et laissez mariner au frais pendant 12 h.

2 Retirez les blancs de poulet de la marinade et épongez-les avec du papier absorbant. Frottez la peau avec le paprika, salez et poivrez.

3 Dans une poêle, faites chauffer 2 cuill. à soupe d'huile à feu moyen. Ajoutez les blancs de poulet, peau vers le bas, et faites revenir pendant 5 min, jusqu'à ce que la peau soit bien dorée. Retirez de la poêle.

4 Mettez le jambon, si possible du serrano, dans la poêle, couvrez et laissez cuire pendant environ 2 min pour qu'il rende sa graisse. Ajoutez les oignons, faites-les fondre et dorer pendant 2 min en remuant de temps en temps et en ajoutant de l'huile si nécessaire.

5 Incorporez le vin et le bouillon et portez à ébullition en remuant. Remettez les blancs de poulet dans la poêle. Salez et poivrez. Réduisez le feu, couvrez et laissez frémir pendant 20 min, jusqu'à ce que le poulet soit tendre.

6 Transférez le poulet sur un plat de service et tenez au chaud dans le four préchauffé. Portez la sauce à ébullition et laissez mijoter à petit bouillon pour faire réduire. Goûtez et rectifiez l'assaisonnement. Répartissez le mélange d'oignons et de jambon sur quatre assiettes chaudes, puis déposez dessus un blanc de poulet. Garnissez avec les herbes et servez aussitôt.

À l'heure de la sieste,
les rues sont désertes.

canard aux olives
muslos de pato con aceitunas

En Navarre, en Catalogne et en Andalousie, les recettes de canard abondent. Celle-ci est très simple.

POUR 4 PERSONNES

4 cuisses de canard dégraissées

800 g de tomates en boîte, hachées

8 gousses d'ail entières, épluchées

1 oignon haché

1 carotte épluchée, finement hachée

1 branche de céleri finement hachée

3 branches de thym

100 g d'olives vertes d'Espagne farcies au piment, rincées et égouttées

sel, poivre

1 cuill. à café de zeste d'orange finement râpé

1 Déposez les cuisses de canard dans une sauteuse, ajoutez les tomates, l'ail, l'oignon, la carotte, le céleri, le thym, les olives et mélangez bien. Salez et poivrez à volonté.

2 Mettez à feu vif et faites cuire à découvert jusqu'au bouillonnement. Réduisez le feu, couvrez bien et laissez frémir pendant 1¼ h à 1½ h, jusqu'à ce que la viande soit tendre. Vérifiez de temps en temps et ajoutez de l'eau si le liquide réduit trop.

3 Lorsque le canard est tendre, transférez-le sur le plat de service, couvrez et maintenez au chaud dans le four préchauffé. Faites réduire le liquide en le faisant cuire à découvert en remuant, durant 10 min. Lorsqu'il forme une sauce, ajoutez le zeste d'orange, goûtez et rectifiez l'assaisonnement si nécessaire.

4 Écrasez les gousses d'ail avec une fourchette et étalez la purée sur la viande. Nappez de sauce et servez immédiatement.

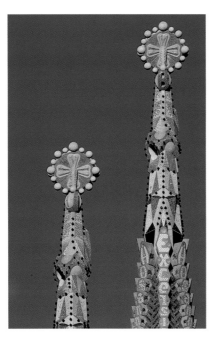

Les monuments se découpent sur un ciel qui paraît éternellement bleu.

La chasse est un passe-temps populaire en Espagne. Les restaurants proposent de nombreux plats de gibier.

POUR 4 PERSONNES

Pour la galette de pommes de terre

600 g de pommes de terre

sel, poivre

30 g de beurre ou de saindoux

1½ cuill. à soupe d'huile d'olive

4 cuill. à soupe d'huile d'olive

8 cailles vidées

300 g de raisin blanc sans pépins

200 ml de jus de raisin

2 clous de girofle

environ 150 ml d'eau

2 cuill. à soupe de brandy espagnol ou de cognac

cailles aux raisins
codornices con uvas

135

1 Faites cuire à moitié les pommes de terre pendant 10 min. Égouttez, laissez refroidir, épluchez et râpez grossièrement. Salez et poivrez. Réservez.

2 À feu moyen, faites chauffer l'huile dans une poêle ou une sauteuse assez grande pour contenir les 8 cailles. Faites dorer les cailles sur toutes les faces.

3 Ajoutez les grains de raisin, le jus, les clous de girofle, suffisamment d'eau pour arriver à mi-hauteur des cailles. Salez et poivrez. Couvrez et laissez frémir pendant 20 min. Transférez les cailles et le jus sur une plaque à rôtir et arrosez de brandy ou de cognac. Préchauffez le four à 230 °C/Th. 7 et faites rôtir à découvert pendant 10 min.

4 Pendant ce temps, réalisez la galette de pommes de terre. À feu vif, faites fondre le beurre ou le saindoux avec l'huile dans une poêle antiadhésive de 30 cm de diamètre. Lorsque la matière grasse est chaude, étalez les pommes de terre en une couche uniforme. Réduisez le feu et laissez cuire doucement pendant 10 min. Posez une assiette sur la poêle et, avec des gants, retournez la poêle pour que la galette tombe sur l'assiette. Glissez la galette dans la poêle et continuez à faire cuire pendant 10 min, jusqu'à ce que les pommes de terre soient dorées et croustillantes. Retirez de la poêle et coupez en quatre. Gardez au chaud jusqu'à la fin de la cuisson des cailles.

5 Placez une part de galette et deux cailles dans chaque assiette. Goûtez la sauce et rectifiez l'assaisonnement si nécessaire. Nappez les cailles de sauce et servez.

136 boulettes de viande aux petits pois
albondigas con guisantes

POUR 4 À 6 PERSONNES

500 g de bœuf haché maigre

1 oignon râpé

50 g de chapelure

1 œuf légèrement battu

20 g de persil finement haché

sel, poivre

huile d'olive

2 oignons finement émincés

1 portion de sauce tomate aux poivrons (voir p. 236)

200 g de petits pois congelés

1 Dans une jatte, réunissez la viande, l'oignon râpé, la chapelure, l'œuf, le persil, le sel et le poivre. Avec les mains, mélangez bien tous les ingrédients. Faites frire une petite quantité et goûtez pour rectifier l'assaisonnement si nécessaire.

2 Avec les mains légèrement humides, formez 12 boulettes de viande. Réservez au frais pendant au moins 20 min.

3 Faites chauffer une petite quantité d'huile dans une ou deux poêles. La quantité d'huile dépend de la teneur en matière grasse de la viande. Faites frire les boulettes petit à petit en les remuant, pendant 5 min, pour qu'elles soient uniformément dorées.

4 Réservez les boulettes et videz la poêle de sa matière grasse, en en conservant 2 cuill. à soupe. Ajoutez les oignons émincés, faites fondre et dorer pendant 5 min. Remettez les boulettes dans la poêle.

5 Versez la sauce tomate aux poivrons dans la poêle et portez à ébullition. Nappez les boulettes de sauce et d'oignons. Baissez le feu, couvrez et laissez mijoter pendant 20 min. Ajoutez les petits pois et laissez mijoter de 7 à 10 minutes, jusqu'à ce que la viande et les petits pois soient cuits. Servez aussitôt.

veau et légumes en escabèche

ternera con verduras en escabeche

1 Pour les légumes à l'escabèche, faites chauffer l'huile à feu moyen dans une poêle. Ajoutez les échalotes et le safran et faites revenir de 5 à 7 min, jusqu'à les faire caraméliser. Ajoutez les carottes, les haricots et le chou-fleur. Réduisez le feu, couvrez et faites cuire de 5 à 8 min (les légumes doivent rester fermes). Ajoutez le vinaigre, les graines de coriandre, le poivre et la feuille de laurier. Retirez du feu et laissez refroidir, sauf si vous servez les légumes immédiatement.

La préparation à l'escabèche peut se préparer 48 h à l'avance. Pour la conserver, versez-la dans un récipient fermé, couvrez-la d'huile d'olive et rangez-la au réfrigérateur. Faites-la chauffer pendant la cuisson des côtes de veau. Elle accompagne aussi les steaks grillés, les côtes de porc et la volaille rôtie.

2 Arrosez les côtes de veau d'huile, salez et poivrez. Placez sous le gril préchauffé, à environ 10 cm de la source de chaleur, et faites cuire pendant 3 min. Retournez et laissez encore griller, pendant 2 min pour obtenir une cuisson à point.

3 Disposez les côtes de veau sur des assiettes individuelles et accompagnez d'un peu de préparation à l'escabèche. Saupoudrez les légumes de ciboulette et arrosez d'un peu d'huile d'olive parfumée. Servez aussitôt.

POUR 4 PERSONNES

pour les légumes à l'escabèche

150 ml d'huile d'olive

4 échalotes émincées

2 pincées de filaments de safran

450 g de carottes nouvelles pelées et finement émincées

250 g de haricots coupés finement

250 g de petits bouquets de chou-fleur

3 cuill. à soupe de vinaigre de vin blanc

1 cuill. à café de graines de coriandre écrasées

½ cuill. à café de grains de poivre noir écrasés

1 feuille de laurier coupée en deux

4 côtes de veau de 200 g chacune et de 2 cm d'épaisseur

huile d'olive parfumée à l'ail pour arroser

sel, poivre

2 cuill. à soupe de ciboulette hachée pour garnir

Les monuments et les palais abondent dans les villes espagnoles.

140

porc aux poivrons
espalda de cerdo al chilindrón

La cuisson al chilindrón est populaire dans toute l'Espagne. Elle est cependant originaire des provinces du nord, la Navarre et l'Aragon, où la rudesse du climat pousse davantage à la création de plats robustes et parfumés. Le piment sec ajoute une saveur épicée remarquablement piquante, que vous pouvez adoucir en préférant les piments ñora. Faites mariner la viande pendant 8 h au moins, de préférence 12 h.

POUR 4 À 6 PERSONNES

1 kg d'épaule de porc désossée et parée, en un seul
   morceau

200 ml de vin blanc sec

6 gousses d'ail écrasées

2 piments séchés

environ 4 cuill. à soupe d'huile d'olive

2 oignons hachés

4 poivrons rouges ou verts, ou un mélange des deux,
   grillés, pelés (voir p. 74), épépinés et émincés

½ cuill. à soupe de paprika fort

800 g de tomates en boîte, hachées

2 branches de thym

2 brins de persil

sel, poivre

1 Mettez l'épaule de porc dans une jatte. Versez le vin et ajoutez 4 gousses d'ail. Couvrez de film alimentaire et laissez mariner au moins 8 h au réfrigérateur.

2 Mettez les piments séchés, ancho ou pasila, dans un plat allant au four et couvrez d'eau bouillante. Laissez reposer pendant 20 min. Épépinez puis hachez. Réservez.

3 Dans une cocotte, faites chauffer 4 cuill. à soupe d'huile à feu moyen. Ajoutez les oignons et faites revenir pendant 3 min, ajoutez l'ail restant, les piments hachés, les lanières de poivrons, le paprika, et faites revenir pendant 2 min jusqu'à faire blondir les oignons. Avec une écumoire, transférez le mélange dans un plat, en laissant l'huile dans la cocotte.

4 Égouttez la viande, réservez la marinade et épongez avec du papier absorbant. Mettez le porc dans la cocotte et faites dorer de tous les côtés.

5 Remettez le mélange d'oignons dans la cocotte contenant le porc, incorporez la marinade, les tomates avec leur jus et les herbes. Salez et poivrez. Portez à ébullition en grattant le fond caramélisé de la cocotte. Préchauffez le four à 160 °C/Th. 3, enfournez la cocotte et laissez cuire 1 h, jusqu'à ce que la viande soit tendre.

6 Si le jus est trop liquide, retirez la viande de la cocotte, réservez au chaud, mettez la cocotte à feu vif et faites réduire jusqu'à obtention de la consistance souhaitée.

7 Goûtez et rectifiez l'assaisonnement si nécessaire. Découpez le porc en tranches, servez avec les poivrons et la sauce.

agneau rôti à l'ail et au romarin 143
cordero asado con ajo y romero

*Pendant que l'agneau cuit, les délicieux parfums
de l'ail et du romarin envahissent la cuisine. Cette
recette est originaire d'Aragon, une province du Nord
où les agneaux paissent l'herbe sauvage des prés
et ont la chair tendre et savoureuse. Faites mariner
l'agneau pendant 2 h au moins.*

POUR 6 À 8 PERSONNES

15 gousses d'ail

huile d'olive

1 gigot d'agneau de 1½ kg environ

1 poignée de brins de romarin

sel, poivre

24 pommes de terre nouvelles avec la peau, nettoyées

200 ml de vin rouge de type rioja ou navarre

1 Enrobez l'ail d'huile d'olive en frottant les gousses dans vos mains. Préchauffez le four à 200 °C/Th. 5, puis faites-y rôtir les gousses pendant 20 min, jusqu'à ce qu'elles soient bien tendres. Si les gousses roussissent trop, couvrez de papier aluminium, côté brillant en dessous.

2 Dès que l'ail est suffisamment froid pour être manipulé, épluchez les gousses. Écrasez l'ail dans un mortier ou avec le dos d'une fourchette. Mélangez avec ½ cuill. à café d'huile et formez une pâte épaisse. Avec un couteau, incisez la viande. En frottant, faites pénétrer l'ail dans les incisions. Laissez reposer, pendant 2 h au moins, au frais.

3 Placez le gigot sur une plaque à rôtir, sur un lit de romarin. Salez et poivrez. Enrobez les pommes de terre d'huile d'olive et posez-les autour de la viande.

Saupoudrez de romarin. Préchauffez le four à 230 °C/Th. 7 et faites saisir pendant 10 min. Baissez le four à 180 °C/Th. 4 et faites rôtir 15 min par 500 g, plus 15 min pour que le gigot reste rosé à l'intérieur. Mesurez la cuisson avec un thermomètre à viande qui doit atteindre 70 °C.

4 Transférez l'agneau sur une planche et laissez reposer pendant 10 min. Si les pommes de terre ne sont pas suffisamment cuites, changez-les de plat et remettez-les au four.

5 Retirez les branches de romarin et réservez. Dégraissez le jus de cuisson. Versez le vin dans le plat et portez à ébullition en grattant le fond pour décoller les sucs. Laissez bouillir jusqu'à ce que le jus ait réduit de moitié. Goûtez et rectifiez l'assaisonnement si nécessaire.

6 Coupez l'agneau en tranches, servez avec les pommes de terre et le jus.

144 # sauté d'agneau aux pois chiches
caldereta de cordero con garbanzos

POUR 4 À 6 PERSONNES

huile d'olive

250 g de chorizo épluché, coupé en tranches
de 5 mm d'épaisseur

2 oignons hachés

6 gousses d'ail écrasées

1 kg de gigot d'agneau désossé, coupé en dés de 5 cm
de côté

200 ml de bouillon d'agneau ou d'eau

150 ml de vin rouge du type rioja ou tempranillo

2 cuill. à soupe de vinaigre de xérès

800 g de tomates en boîte, hachées

sel, poivre

4 branches de thym

2 feuilles de laurier

½ cuill. à café de paprika doux

800 g de pois chiches en boîte, rincés et égouttés

branches de thym pour servir

1 Dans une cocotte, faites chauffer 4 cuill. à soupe d'huile d'olive, à feu moyen. Baissez le feu, ajoutez le chorizo et faites frire pendant 1 min. Réservez. Ajoutez les oignons et faites fondre pendant 2 min. Ajoutez l'ail et faites revenir pendant 3 min, jusqu'à faire blondir les oignons. Retirez de la cocotte et réservez.

2 Ajoutez 2 cuill. à soupe d'huile dans la cocotte et faites chauffer. Ajoutez l'agneau et faites revenir en plusieurs fois pour que la viande soit bien dorée de tous les côtés.

3 Remettez les oignons et le chorizo dans la cocotte, avec l'agneau. Versez le bouillon, le vin, le vinaigre, ajoutez les tomates avec leur jus. Salez et poivrez. Portez à ébullition en grattant le fond pour décoller les sucs. Réduisez le feu, ajoutez le thym, le laurier et le paprika.

4 Préchauffez le four à 160 °C/Th. 3 et enfournez la cocotte couverte de 40 à 45 minutes, jusqu'à ce que la viande soit tendre. Ajoutez les pois chiches en remuant et remettez au four à découvert pendant 10 min*, jusqu'à ce qu'ils soient chauds et la sauce réduite.

5 Goûtez et rectifiez l'assaisonnement si nécessaire. Garnissez avec des branches de thym et servez.

* le truc du cuisinier
Si la sauce est trop liquide, mettez la cocotte sur le feu. Retirez la viande et les pois chiches avec une écumoire. Maintenez-les au chaud. Portez la sauce à ébullition et laissez réduire. Remettez la viande et les pois chiches.

merguez aux lentilles
salchichas merguez con lentejas

D'origine algérienne, les merguez sont devenues internationales. Elles se marient parfaitement avec les lentilles. Vous pouvez les remplacer par des dés de chorizo ou par toute autre saucisse épicée.

POUR 4 À 6 PERSONNES

2 cuill. à soupe d'huile d'olive

12 merguez

2 oignons finement hachés

2 poivrons rouges nettoyés, épépinés et hachés

1 poivron orange ou jaune nettoyé, épépiné et haché

300 g de lentilles vertes rincées

1 cuill. à café de thym ou de marjolaine séchés

450 ml de bouillon de légumes

sel, poivre

4 cuill. à soupe de persil haché

vinaigre de vin rouge pour servir

1 Dans une cocotte, faites chauffer l'huile à feu moyen. Ajoutez les merguez et faites dorer pendant 10 min en remuant fréquemment. Lorsqu'elles sont cuites, retirez-les de la cocotte et réservez.

2 Versez l'huile en en gardant 2 cuill. à soupe. Ajoutez les oignons et les poivrons et faites fondre pendant 5 min, jusqu'à faire blondir les oignons. Ajoutez les lentilles, le thym ou la marjolaine, et remuez bien pour les enrober d'huile.

3 Incorporez le bouillon et portez à ébullition. Baissez le feu, couvrez et laissez frémir pendant 30 min jusqu'à ce que les lentilles aient absorbé le liquide. S'il reste trop de liquide, découvrez la cocotte et laissez frémir jusqu'à évaporation totale. Salez et poivrez selon votre goût.

4 Remettez les merguez dans la cocotte et réchauffez-les. Ajoutez le persil. Servez les merguez sur des assiettes individuelles, accompagnées de lentilles et arrosées d'un peu de vinaigre de vin.

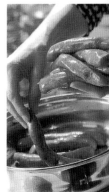

À gauche *Les terres battues par le vent de la Manche sont couvertes de centaines de moulins.*

Au verso *Les étals des poissonniers regorgent de poisson frais et variés.*

lotte à la sauce romesco
150
rape asado con romesco

Servez la lotte avec du riz au safran et aux légumes verts (voir p. 244) ou des pommes de terre sautées (voir p. 247).

POUR 4 À 6 PERSONNES
1 kg de lotte en un seul morceau
2 ou 3 tranches de jambon cru
huile d'olive
sel, poivre
1 portion de sauce romesco (voir p. 233) pour servir

1 Retirez la fine membrane qui recouvre le poisson, rincez-le et épongez-le avec du papier absorbant. Enroulez le jambon, du serrano de préférence, autour du poisson et frottez-le légèrement avec de l'huile d'olive. Salez et poivrez. Posez-le sur une plaque à four.

2 Préchauffez le four à 200 °C/Th. 5 puis faites cuire le poisson pendant 20 min, jusqu'à ce que la chair soit opaque et se défasse facilement. Soulevez le jambon, piquez un couteau dans le poisson et vérifiez si la chair se détache de l'arête centrale.

3 Coupez le jambon et le poisson pour supprimer l'arête et obtenir deux filets épais. Coupez chaque filet en deux ou trois et disposez-les sur les assiettes avec un peu de sauce romesco. Servez aussitôt.

Les côtes méditerranéenne et atlantique sont des lieux de pêches abondantes.

spaghettis aux gambas 153
espaguetis con gambas

Les pâtes aux fruits de mer sont aussi populaires en Espagne qu'en Italie. Les petits restaurants bon marché en proposent fréquemment en plat du jour. À la Manga, une station balnéaire au sud d'Alicante, les spaghettis aux gambas sont une spécialité.

POUR 4 PERSONNES

500 g de spaghettis

150 ml d'huile d'olive

6 gousses d'ail finement émincées

500 g de gambas crues, décortiquées et nettoyées
   (voir p. 64)

30 g de persil plat finement haché plus 2 cuill. à soupe
   pour garnir

150 ml de vin blanc sec

4 cuill. à soupe de jus de citron

sel, poivre

1 Faites bouillir de l'eau salée. Ajoutez les spaghettis, portez de nouveau à ébullition et laissez cuire pendant 10 min (conformez-vous aux instructions de l'emballage). Goûtez pour vérifier la cuisson.

2 Pendant ce temps, faites chauffer l'huile dans une casserole à feu moyen. Ajoutez l'ail et laissez dorer. Ajoutez les gambas et 30 g de persil. Remuez, incorporez le vin et laissez frémir pendant 2 min. Versez le jus de citron et laissez frémir jusqu'à ce que les crevettes rosissent et s'enroulent sur elles-mêmes.

3 Égouttez les pâtes. Versez dans la casserole avec les gambas et mélangez. Salez et poivrez.

4 Transférez sur le plat de service et saupoudrez de persil. Servez aussitôt.

La Sagrada Familia construite par l'architecte Gaudí, à Barcelone.

moules au fenouil
mejillones con hinojo

POUR 4 À 6 PERSONNES

4 cuill. à soupe d'huile d'olive

2 oignons finement émincés

1 bulbe de fenouil nettoyé et finement émincé

2 gousses d'ail finement hachées

350 ml de vin blanc sec du type rioja

100 ml de xérès

400 g de tomates en boîtes

1 pincée de sucre

sel, poivre

2 kg de moules

1 poignée de persil haché

1 Dans une grande casserole, faites chauffer l'huile à feu moyen. Ajoutez les oignons et le fenouil et faites revenir pendant 3 min, en remuant. Ajoutez l'ail et faites revenir pendant 2 min, jusqu'à faire fondre et blondir les oignons.

2 Incorporez le vin et le xérès et laissez frémir jusqu'à avoir réduit de moitié. Ajoutez les tomates avec leur jus et portez à ébullition en remuant. Ajoutez le sucre, salez, poivrez, baissez le feu et laissez mijoter pendant 5 min à découvert.

3 Pendant ce temps, préparez les moules. Ébarbez, brossez et lavez-les. Jetez les moules cassées et celles qui, ouvertes, ne se referment pas lorsqu'on les frappe d'un coup sec.

4 Réduisez le feu sous la casserole au minimum. Ajoutez les moules, couvrez et laissez cuire pendant 4 min en secouant fréquemment la casserole. Jetez les moules qui ne se sont pas ouvertes. Répartissez les moules dans quatre bols. Recouvrez la casserole et laissez frémir pendant 1 min.

5 Incorporez le persil dans le jus. Goûtez et rectifiez l'assaisonnement. Versez le jus sur les moules et servez avec du pain pour saucer.

poisson à la catalane
zarzuela

1 Mettez le safran dans 4 cuill. à soupe d'eau bouillante et laissez infuser.

2 Dans une casserole, faites chauffer l'huile à feu moyen. Réduisez le feu, ajoutez l'oignon et faites fondre et blondir pendant 10 min. Ajoutez l'ail, le thym, les feuilles de laurier, les poivrons rouges et faites revenir pendant 5 min jusqu'à ce que les poivrons soient tendres.

3 Incorporez les tomates et le paprika et laissez frémir pendant 5 min en remuant fréquemment.

4 Ajoutez le fumet de poisson, le safran, les amandes moulues et portez à ébullition en remuant fréquemment. Baissez le feu et laissez frémir de 5 à 10 min pour faire réduire et épaissir la sauce. Salez et poivrez selon votre goût.

5 Pendant ce temps, préparez les moules et les palourdes. Ébarbez, brossez et lavez-les.

6 Incorporez délicatement le poisson pour ne pas le casser, puis les crevettes, les moules et les palourdes. Couvrez la casserole et laissez mijoter à feu très doux pendant 5 min environ, jusqu'à cuisson complète du poisson. Les crevettes doivent rosir, les moules et les palourdes s'ouvrir. Jetez les coquillages restés fermés. Servez aussitôt avec du pain pour tremper.

POUR 4 À 6 PERSONNES

1 bonne pincée de filaments de safran

6 cuill. à soupe d'huile d'olive

1 oignon haché

2 gousses d'ail finement hachées

1½ cuill. à soupe de feuilles de thym

2 feuilles de laurier

2 poivrons rouges nettoyés, épépinés, grossièrement hachés

800 g de tomates en boîte, hachées

1 cuill. à café de paprika fumé

200 ml de fumet de poisson

150 g d'amandes blanchies grillées (voir p. 50), finement moulues

sel, poivre

de 10 à 15 moules bien fermées (jetez les moules ouvertes ou cassées)

de 10 à 15 palourdes bien fermées (jetez les palourdes ouvertes ou cassées)

600 g de filets de colin ou de cabillaud* coupés en dés de 5 cm de côté

de 10 à 15 crevettes crues, décortiquées et nettoyées (voir p. 64)

tranches de pain frais pour servir

* le truc du cuisinier

Veillez à ne pas trop faire cuire le colin, car il risquerait de tomber en morceaux. Préférez la lotte ou le cabillaud, dont la chair est plus ferme. Vous pouvez adapter la recette aux variétés de poissons disponibles sur le marché. Évitez cependant le saumon et le maquereau, trop gras, ainsi que le thon et l'espadon, trop denses.

L'Andalousie est le pays de l'huile d'olive. Les recettes et les plats où elle intervient sont nombreux et variés. Des plus petits aux plus grands, tous les restaurants proposent des fritures, surtout de poisson et de fruits de mer, toujours très frais. Le soir, on s'installe aux terrasses, on sirote un verre de vin blanc bien frais, accompagné d'impressionnantes quantités de crevettes, de poisson ou de calamars frits. La même pâte est utilisée pour frire tous les petits crustacés et même les sardines. Accompagnez-les de sauce romesco (voir p. 233) ou d'aïoli (voir p. 232).

1 Pour la pâte, versez la farine et le sel dans une jatte et faites un puits au milieu. Versez doucement l'eau et l'huile en remuant jusqu'à formation d'une pâte homogène. Laissez reposer pendant 30 min au moins.

2 Dans une grande poêle, versez 8 cm d'huile et faites chauffer jusqu'à 190 °C. Vous pouvez vérifier la température en y trempant un morceau de pain rassis qui doit dorer en 30 s. Mettez la farine au paprika dans un sac en plastique.

3 Introduisez les crevettes dans le sac et secouez pour les enrober de farine. Ressortez-les tout en secouant l'excédent de farine. Mettez environ 8 crevettes dans la poêle et faites frire pendant 45 s. Retournez-les avec une écumoire et continuez à les faire frire jusqu'à ce qu'elles prennent une belle couleur dorée et remontent à la surface. Avec une écumoire, déposez-les sur du papier absorbant et laissez égoutter. Saupoudrez de sel et réservez dans le four chaud pendant que vous faites cuire la suite.

4 Réchauffez l'huile à la bonne température entre deux quantités de friture et poursuivez avec tous les fruits de mer. Garnissez de persil et servez chaud avec des quartiers de citron.

beignets de fruits de mer
pescadito frito

159

POUR 4 À 6 PERSONNES

pour la pâte

150 g de farine de gruau

½ cuill. à café de sel

150 ml d'eau

2 cuill. à soupe d'huile d'olive

huile d'olive pour la friture

farine mélangée à du sel, du poivre
  et du paprika doux

24 crevettes crues, décortiquées et nettoyées
  (voir p. 64)

2 seiches préparées (voir p. 122), coupées en anneaux
  de 5 mm d'épaisseur

tentacules des seiches

sel

persil plat pour garnir

quartiers de citron pour servir

160

daurade en croûte de sel
dorada a la sal

Lorsque la température augmente à Palma, la capitale de Majorque, les habitants se réfugient dans le ravissant petit port d'Andratx pour y chercher la fraîcheur. La daurade au sel est une des spécialités des nombreux restaurants qui longent le port. On apporte le poisson sur la table, dans sa croûte de sel. Le serveur brise la croûte et le poisson apparaît, chaud et moelleux. Il en lève les filets qu'il distribue aux convives. La daurade royale est un poisson de la Méditerranée, vous pouvez la remplacer par la daurade grise ou rose de l'Atlantique. Le pagre ou le bar conviennent également.

POUR 4 PERSONNES

1 kg de sel

150 g de farine

200 ml d'eau

1 daurade de 1 kg environ, vidée par les ouïes*

quelques brins de persil

2 tranches de citron

1 Préchauffez le four à 230 °C/Th. 7. Dans une jatte, mélangez le sel et la farine et faites un puits au centre. Versez l'eau et faites une pâte épaisse. Réservez.

2 Mettez le persil et le citron à l'intérieur des ouïes de la daurade. Essuyez le poisson avec du papier absorbant. Avec vos mains, enrobez le poisson de pâte au sel (il n'est pas indispensable d'écailler le poisson au préalable, mais veillez à ne pas vous blesser). Placez le poisson sur une plaque à rôtir et couvrez-le entièrement.

3 Faites rôtir le poisson au four pendant 30 min. Sortez-le du four et cassez la croûte. En principe la peau colle à la croûte. Découpez le poisson en filets et servez aussitôt.

* le truc du cuisinier

En vidant le poisson par les ouïes, il reste entier, ce qui permet d'en préserver les saveurs et le parfum. Demandez au poissonnier de le faire pour vous, mais avec un peu d'entraînement vous pouvez y arriver vous-même. Rabattez les branchies et arrachez-les. Attention, elles sont coupantes. Passez votre petit doigt dans la cavité, faites un crochet et tirez d'un geste vif. Avec une cuillère à café, raclez la cavité pour en éliminer tous les reliquats. Rincez le poisson sous l'eau courante, puis épongez-le avec du papier absorbant.

brandade de morue
brandada

162

Le folklore culinaire prétend qu'il existe une recette de brandade pour chaque jour de l'année. Cette affirmation date d'une époque où la lenteur des transports exigeait des méthodes de conservation comme la salaison, et où les croyances religieuses rendaient la consommation de poisson obligatoire le vendredi ainsi que pendant le carême. Bien que cette recette, à l'huile d'olive et aux pommes de terre, soit originaire du midi de la France, elle a traversé la frontière pour devenir une spécialité de Catalogne. Faites tremper la morue salée pendant 48 h* au moins, en changeant l'eau fréquemment. Choisissez des morceaux de forme régulière pour que la dessalaison et la cuisson soient uniformes.

POUR 4 À 6 PERSONNES

450 g de morue séchée et salée, coupée en morceaux

4 tranches de citron

4 brins de persil

2 feuilles de laurier

1 gousse d'ail émincée

½ cuill. à café de graines de fenouil

½ cuill. à café de grains de poivre noir écrasés

500 g de pommes de terre à purée, pelées et coupées en morceaux

environ 4 cuill. à soupe d'huile d'olive parfumée à l'ail

150 ml de lait

jus de citron à volonté

sel, poivre

1 Mettez la morue dans un récipient, couvrez d'eau et laissez tremper pendant 48 h, en changeant l'eau au moins trois fois par jour.

2 Réunissez dans une casserole les tranches de citron, les brins de persil, les feuilles de laurier, l'ail, les graines de fenouil et les grains de poivre. Ajoutez ½ litre d'eau et portez à ébullition. Baissez le feu et faites cuire pendant 45 min.

3 Lorsque la morue est dessalée, mettez-la dans une sauteuse. Couvrez de bouillon parfumé et portez à ébullition. Baissez le feu et laissez frémir pendant 45 min, jusqu'à ce que le poisson soit tendre et se défasse facilement. Retirez le poisson avec une écumoire. Défaites-le, en éliminant la peau et les arêtes. Réservez.

4 Pendant ce temps, faites cuire les pommes de terre dans une grande quantité d'eau bouillante salée, jusqu'à ce qu'elles soient tendres. Égouttez-les bien. Dans une jatte, réduisez-les en purée et incorporez petit à petit les morceaux de morue.

5 Dans une petite casserole, réunissez l'huile et le lait et faites chauffer à feu moyen. Ajoutez au mélange de pommes de terre et de morue en battant, jusqu'à obtention de la consistance désirée. Versez le jus de citron, salez et poivrez.

* *le truc du cuisinier*

Toutes les morues ne sont pas identiques : elles peuvent être plus ou moins sèches et plus ou moins salées. Le temps de trempage est donc difficile à fixer, il peut aller de 24 à 48 h. Lorsque la morue gonfle dans l'eau, faites-en cuire un petit morceau, goûtez et décidez de la suite des opérations.

colin au vin blanc
merluza a la vasca

*Le colin est un poisson apprécié car il se prête
à de nombreuses préparations : sa saveur délicate
s'accommode de tous les accompagnements,
sa texture permet toutes les formes de cuisson.
Vous pouvez le cuire à la vapeur, le frire, le poêler
ou le rôtir. Le colin au vin blanc est un plat simple,
originaire du Pays basque. On y ajoute quelquefois
des palourdes, des crevettes, des pointes d'asperges
ou des haricots verts.*

POUR 4 PERSONNES

environ 2 cuill. à soupe de farine

sel, poivre

4 filets de colin d'environ 150 g chacun

4 cuill. à soupe d'huile d'olive

150 ml de vin blanc sec du type rioja

2 gousses d'ail finement hachées

6 cives finement émincées

30 g de persil finement haché

1 Préchauffez le four à 230 °C/Th. 7. Sur une assiette
plate, additionnez généreusement la farine de sel
et de poivre. Enrobez de farine le côté peau des filets
de poisson, secouez l'excédent et réservez.

2 Dans une cocotte, faites chauffer l'huile à feu vif.
Vous pouvez vérifier la température en y trempant
un morceau de pain rassis qui doit dorer en 30 s.
Ajoutez les filets de poisson, peau vers le bas, et faites-
les cuire pendant 3 min jusqu'à ce qu'ils soient dorés.

3 Retournez le poisson, salez, poivrez selon votre
goût. Versez le vin, ajoutez l'ail, les cives et le persil.
Mettez la cocotte au four et laissez cuire à découvert
pendant 5 min, jusqu'à ce que la chair se détache
facilement. Servez aussitôt.

variante

Vous pouvez remplacer le colin par du cabillaud.

166

filets de saumon à la sauce verte
salmón a la plancha con salsa verde

Le saumon sauvage est toujours meilleur que celui d'élevage, mais ce dernier est bien plus répandu. La sauce verte réveille la saveur un peu douce de la chair du saumon. Servez-la aussi avec du bœuf, du veau, du porc et du poulet rôtis. Accompagnez le saumon de riz au xérès (voir p. 243), de riz au safran et légumes verts (voir p. 244), ou de pommes de terre sautées (voir p. 247).

POUR 4 PERSONNES

pour la sauce verte

70 g de persil plat

8 feuilles de basilic

2 branches d'origan ou ½ cuill. à café d'origan séché

3 ou 4 filets d'anchois à l'huile, égouttés et hachés

2 cuill. à café de câpres rincées

1 échalote hachée

1 gousse d'ail

2 ou 3 cuill. à café de jus de citron

150 ml d'huile d'olive

sel, poivre

4 filets de saumon de 150 g chacun

2 cuill. à soupe d'huile d'olive

1 Pour faire la sauce verte, réunissez le persil, le basilic, l'origan, les anchois, les câpres, l'échalote, l'ail et le jus de citron dans un mixeur et réduisez en purée. Ajoutez petit à petit l'huile d'olive. Goûtez et rectifiez l'assaisonnement si nécessaire, en sachant que les anchois et les câpres sont déjà salés. Transférez la sauce dans un bol, couvrez de film alimentaire et réservez au réfrigérateur jusqu'au moment de servir*.

2 Badigeonnez les filets de saumon d'huile d'olive sur les deux faces, salez et poivrez. Dans une poêle, faites chauffer l'huile et faites revenir le poisson pendant 3 min. Retournez les filets et faites revenir pendant 2 ou 3 min, jusqu'à ce que leur surface devienne souple et que la chair se détache facilement.

3 Servez les filets nappés d'un peu de sauce verte.

* le truc du cuisinier

Vous pouvez préparer la sauce verte 2 jours à l'avance et la conserver au réfrigérateur jusqu'au moment de servir. Le contraste entre la sauce froide et le poisson chaud est délicieux.

cabillaud à la catalane
bacalao a la catalana

Les préparations à la catalane contiennent des pignons de pin et des raisins secs. Dans les grands restaurants de Barcelone, on sert le cabillaud à la catalane avec des tomates coupées en deux et grillées. Il se marie aussi avec les pommes de terre sautées (voir p. 247). Dans les îles Baléares, on accompagne ce plat de bettes plutôt que d'épinards.

POUR 4 PERSONNES

Pour les épinards à la catalane

50 g de raisins secs

50 g de pignons de pin

4 cuill. à soupe d'huile d'olive

3 gousses d'ail écrasées

500 g de pousses d'épinard lavées et égouttées

sel, poivre

4 filets de cabillaud de 150 g chacun

huile d'olive

quartiers de citron pour servir

1 Mettez les raisins secs à tremper dans un bol, couvrez-les d'eau chaude et laissez reposer pendant 15 min. Égouttez bien.

2 Pendant ce temps, mettez les pignons de pin à sec dans une poêle antiadhésive pendant 1 ou 2 min, en secouant fréquemment jusqu'à ce qu'ils soient dorés. Surveillez-les attentivement car ils brunissent vite.

3 Dans une poêle, faites chauffer l'huile à feu moyen. Ajoutez l'ail et faites revenir et dorer pendant 2 min. Veillez à ne pas le faire roussir. Retirez avec une écumoire et jetez.

4 Tombez les épinards, légèrement humides, en les plongeant dans l'huile, couvrez pendant 4 ou 5 min. Découvrez, ajoutez les raisins égouttés et les pignons et laissez cuire jusqu'à évaporation complète du liquide. Salez, poivrez et réservez au chaud.

5 Badigeonnez les filets de cabillaud d'huile, saupoudrez de sel et de poivre. Faites préchauffer le gril et placez les filets de poisson à 10 cm de la source de chaleur. Laissez griller de 8 à 10 min, jusqu'à ce que leur surface devienne souple et que la chair se détache facilement.

6 Répartissez les épinards sur quatre assiettes et déposez-y les filets de cabillaud. Servez avec les quartiers de citron.

La coupole renversée moderniste du Palau de la Música Catalana.

170

flet pour deux
lenguado para dos

Dans le nord de l'Espagne, et plus particulièrement vers le port de La Corogne, on apprécie le flet pour sa chair tendre et délicate. Vous pouvez le remplacer par de la sole ou de la plie.

POUR 2 PERSONNES

150 ml d'huile d'olive

400 g de pommes de terre fermes épluchées, finement émincées

1 bulbe de fenouil nettoyé, finement émincé

2 tomates grillées, épépinées (voir p. 63) et hachées

2 échalotes émincées

sel, poivre

1 flet de 1½ kg environ, vidé

4 cuill. à soupe de vin blanc sec

2 cuill. à soupe de persil finement haché

quartiers de citron pour servir

1 Tapissez d'huile d'olive le fond d'une plaque à rôtir pouvant contenir le poisson. Disposez les pommes de terre en une seule couche, continuez par le fenouil, les tomates et les échalotes. Salez et poivrez. Arrosez de 4 cuill. à soupe d'huile d'olive. Préchauffez le four à 200 °C/Th. 5 et faites rôtir les légumes pendant 30 min.

2 Salez et poivrez le poisson et posez-le sur les légumes. Arrosez de vin et de 2 cuill. à soupe d'huile.

3 Remettez la plaque au four et laissez rôtir à découvert pendant 20 min, jusqu'à ce que la chair se défasse facilement. Pour servir, ôtez la peau du poisson, levez les filets. Saupoudrez les légumes de persil haché. Déposez 2 filets dans chaque assiette avec les légumes et les quartiers de citron.

Les jets d'eau et les fontaines rafraîchissent l'air des villes pendant la canicule estivale.

thon rôti à l'orange et aux anchois

atún asado con naranja y anchoas

Le thon est si abondant dans le détroit de Gibraltar et au large de la côte atlantique sud, qu'on appelle «mer des thons» les eaux entourant Cadix. Le thon, à la chair ferme et à la texture proche de celle de la viande, se prête idéalement à la cuisson au four. Dans cette recette, on le cuit comme une pièce de bœuf. Servez-le avec des pommes de terre sautées (voir p. 247).

POUR 4 À 6 PERSONNES

200 ml de jus d'orange frais

3 cuill. à soupe d'huile d'olive

50 g de filets d'anchois à l'huile, grossièrement hachés (réservez l'huile)

1 pincée de flocons de piment, selon votre goût

poivre

1 filet de thon de 600 g environ

1 Dans une jatte suffisamment grande pour contenir le thon, mélangez le jus d'orange avec 2 cuill. à soupe d'huile d'olive, les anchois et leur huile, les flocons de piment et le poivre. Ajoutez le thon, nappez-le de marinade, couvrez et laissez reposer au frais pendant 2 h. Retournez le poisson de temps en temps. Sortez du réfrigérateur 20 min avant de cuire pour le porter à température ambiante.

2 Retirez le thon de la marinade, essuyez-le avec du papier absorbant. Dans une poêle, faites chauffer le reste de l'huile d'olive à feu vif. Faites bien dorer le thon pendant 1 min, sur les deux faces. Déposez le thon sur une petite plaque à rôtir, couvrez hermétiquement avec une feuille d'aluminium.

3 Préchauffez le four à 220 °C/Th. 6. Faites cuire le thon pendant 8 min si vous l'aimez très rouge, ou 10 min si vous le préférez à point. Laissez reposer 2 min avant de découper*.

4 Pendant ce temps, versez la marinade dans une petite casserole et portez à ébullition sur feu vif. Laissez bouillir pendant 2 min au moins.

5 Avec un bon couteau, découpez le thon en tranches épaisses et déposez-les sur le plat de service. Nappez de sauce ou servez-la séparément. Le thon se mange chaud ou à température ambiante ; la sauce, en revanche, doit être chaude.

* le truc du cuisinier

Comme le bœuf, le thon continue de cuire à la sortie du four. Pour vérifier la cuisson, enfoncez un thermomètre à viande dans le poisson avant de l'enfourner, à travers la feuille d'aluminium. Lorsque la température atteint 60 °C, il est à point.

174

gambas au paprika
gambas al pimentón

Ce plat au goût de vacances, simple à souhait, rappelle les terrasses des sympathiques restaurants du bord de mer, où le plat du jour, ou menú del dia, *dépend de la pêche nocturne. Présentez les gambas sur une grande assiette, chacun se servira et enlèvera les têtes et les queues. Accompagnez-les d'un bon vin blanc frais et de pain croustillant. Au déjeuner, dégustez-les avec une salade d'oranges au fenouil (voir p. 109) ou du riz au xérès (voir p. 243).*

POUR 4 À 6 PERSONNES

de 15 à 25 gambas crues

6 cuill. à soupe d'huile d'olive

1 gousse d'ail écrasée

½ cuill. à café de paprika, selon votre goût

sel

quartiers de citron pour servir

1 Décortiquez les gambas en laissant intactes les têtes et les queues. Nettoyez-les (voir p. 64).

2 Dans un plat creux, mélangez bien l'huile, l'ail, le paprika et le sel. Déposez les gambas en une seule couche et enrobez-les de marinade. Couvrez de film alimentaire et laissez mariner au réfrigérateur pendant 1 h au moins.

3 Faites chauffer un gril en fonte à feu moyen, jusqu'à ce que vous sentiez la chaleur se dégager. Posez dessus quelques gambas en maintenant un peu de distance entre elles. Faites griller pendant 1 min jusqu'à ce que les carapaces rosissent et que les corps s'enroulent. Retournez-les et faites griller la seconde face. Égouttez-les bien sur du papier absorbant et maintenez-les au chaud pendant que vous finissez de cuire toutes les gambas.

4 Servez aussitôt avec des quartiers de citron.

variante

Les gambas marinées sont également délicieuses en friture. Éliminez les têtes, nettoyez les gambas et faites-les mariner comme précédemment. Préparez la pâte à frire en vous reportant à la recette des beignets de lotte en escabèche (voir p. 55). Dans une poêle profonde, faites chauffer suffisamment d'huile pour la friture. Lorsqu'elle crépite, trempez les gambas dans la pâte puis dans la friture, pendant 1 ou 2 min, jusqu'à ce qu'elle s'enroulent et prennent une belle couleur dorée. Faites frire en plusieurs fois pour que l'huile reste chaude. Saupoudrez les gambas de gros sel et servez avec des quartiers de citron.

œufs façon flamenco
huevos a la flamenca

Les œufs au plat, brouillés ou en omelette sont souvent considérés comme un plat à part entière, ou servis en déjeuner ou en dîner léger. Ici, on les appelle a la flamenca en raison de leur belle couleur rouge qui rappelle les robes des danseuses. En supprimant le chorizo, les œufs façon flamenco deviennent un excellent plat végétarien.

1 Dans une poêle, faites chauffer l'huile à feu moyen. Faites fondre l'oignon et les poivrons pendant 2 min, ajoutez l'ail, le chorizo et le paprika et faites revenir et blondir pendant 3 min, jusqu'à ce que les poivrons et les oignons soient cuits.

2 Ajoutez les tomates en remuant, puis le sucre. Salez, poivrez et portez à ébullition. Réduisez le feu et laissez frémir à découvert pendant 10 min environ.

3 Ajoutez les pommes de terre, les haricots et les petits pois et laissez encore frémir pendant 6 ou 7 min, jusqu'à ce que les légumes soient cuits.

4 Répartissez les légumes dans quatre petits caquelons. Rectifiez l'assaisonnement si nécessaire. Cassez un œuf sur chaque caquelon. Préchauffez le four à 180 °C/Th. 4 et laissez cuire pendant 10 min, jusqu'à ce que les jaunes soient cuits. Servez aussitôt.

* le truc du cuisinier
Pour ce plat, vous pouvez utiliser des légumes en boîte : des cœurs d'artichauts, des asperges, des dés de carotte et de navet, des petits pois. Égouttez bien les légumes, ajoutez-les à l'étape n° 2 et sautez l'étape n° 3.

POUR 4 PERSONNES

4 cuill. à soupe d'huile d'olive

1 oignon haché

2 poivrons verts nettoyés, épépinés et hachés

2 gousses d'ail écrasées

12 tranches de chorizo épluchées, de 5 mm d'épaisseur

¼ cuill. à café de paprika fumé

800 g de tomates en boîte, hachées

1 pincée de sucre

sel, poivre

250 g de pommes de terre nouvelles, cuites et coupées
en dés de 1 cm de côté*

100 g de haricots verts, coupés en morceaux

100 g de petits pois frais ou congelés

4 œufs

salade aux poivrons grillés
ensalada de pimientos

*Populaire tout autour de la Méditerranée, cette
salade est idéale pour les jours de canicule.
Pour un repas complet, ajoutez de la morue salée
(voir p. 162).*

POUR 4 À 6 PERSONNES

6 poivrons rouges, orange ou jaunes, coupés en deux dans
  le sens de la longueur, grillés et pelés (voir p. 74)

4 œufs durs écalés

12 filets d'anchois à l'huile, égouttés

12 olives noires

huile d'olive nature ou parfumée à l'ail

vinaigre de xérès

sel, poivre

pain de campagne pour servir

1 Nettoyez bien les poivrons en supprimant les pépins
et les parties blanches. Découpez-les en lanières
fines. Disposez-les sur le plat de service.

2 Coupez les œufs durs en quartiers et disposez-les
sur les lanières de poivron, avec les filets d'anchois
et les olives.

3 Arrosez d'huile d'olive et d'un peu de vinaigre de
xérès, selon votre goût. Salez, poivrez et servez avec
du pain.

*Le funiculaire qui passe
au-dessus de Barcelone offre
une belle vue sur la ville.*

salade de thon aux haricots
ensalada de atún y judías

POUR 4 À 6 PERSONNES

pour la sauce

1 poignée de feuilles de menthe émincées

1 poignée de feuilles de persil hachées

1 gousse d'ail écrasée

4 cuill. à soupe d'huile d'olive

1 cuill. à soupe de vinaigre de vin rouge

sel, poivre

200 g de haricots verts

400 g de petits haricots blancs en boîte, du type
  cannellinis, rincés et égouttés

4 cives finement hachées

2 steaks de thon de 250 g chacun et de 2 cm d'épaisseur

huile d'olive pour badigeonner

250 g de tomates cerises coupées en deux

feuilles de laitue

menthe et persil pour garnir

pain de campagne pour servir

1 Commencez par faire la sauce : mélangez
intimement tous les ingrédients, salez et poivrez.
Mettez dans un saladier. Goûtez, rectifiez
l'assaisonnement si nécessaire et réservez.

2 Faites cuire les haricots verts dans une grande
quantité d'eau bouillante salée pendant 3 min.
Ajoutez les haricots blancs et faites encore cuire pendant
4 min, jusqu'à ce que les haricots verts soient tendres

et que les haricots blancs soient chauds. Égouttez bien
et mettez dans le saladier avec les cives. Mélangez bien.

3 Faites cuire le thon : faites chauffer un gril en fonte,
badigeonnez d'huile l'une des faces du poisson.
Faites-le griller pendant 2 min. Badigeonnez d'huile
l'autre face, retournez le poisson et faites griller à
nouveau pendant 2 min pour une cuisson juste ou
pendant 4 min pour une cuisson à point.

4 Retirez du gril et laissez reposer pendant 2 min ou
jusqu'à refroidissement total. Ajoutez les tomates
à la salade et remuez délicatement. Tapissez le plat de
service de feuilles de laitue, répartissez dessus la salade
de haricots, puis défaites le thon. Saupoudrez avec les
herbes. Servez tiède ou à température ambiante,
accompagné de pain.

182

couronne de riz aux haricots rouges
moros y cristianos

Ce plat, dont le nom signifie Maures et chrétiens, fut créé pour symboliser la victoire espagnole sur les Maures et la fin de la conquête arabe. On le mange dans les petits villages, à l'occasion des fêtes locales qui ont souvent lieu à la fin du mois d'avril. C'est un plat simple, à base de riz et de haricots rouges, roboratif et délicieux.

POUR 4 À 6 PERSONNES

pour le riz

2 cuill. à soupe d'huile d'olive

400 g de riz à grains courts, rincé jusqu'à obtention
  d'une eau claire

1 litre de bouillon de légumes

sel, poivre

pour les haricots

2 cuill. à soupe d'huile d'olive

50 g de jambon cru coupé en dés

2 poivrons verts nettoyés, épépinés et finement hachés

1 oignon finement haché

2 gousses d'ail écrasées

1 piment rouge épépiné et finement haché

800 g de haricots rouges en boîte, égouttés et rincés

200 ml de bouillon de légumes

2 cuill. à soupe de vinaigre de xérès

4 cuill. à soupe de persil haché

1 Pour le riz, faites chauffer l'huile dans une sauteuse. Versez le riz et remuez pour l'enrober d'huile. Versez le bouillon de légumes, salez, poivrez et portez à ébullition. Réduisez le feu et laissez frémir à découvert, sans remuer pendant 20 min, jusqu'à ce que le liquide soit quasi absorbé. De petits cratères se forment à la surface du riz. S'il reste du liquide, couvrez, retirez du feu et laissez reposer pendant 10 min.

2 Pendant ce temps, dans une poêle, faites chauffer l'huile pour les haricots. Ajoutez le serrano et faites revenir pendant 2 min pour parfumer l'huile. Incorporez les poivrons et l'oignon, et faites fondre pendant 3 min, puis ajoutez l'ail, le piment et faites encore revenir pendant 2 min, jusqu'à faire blondir les oignons.

3 Incorporez les haricots en remuant, faites revenir pendant 1 ou 2 min. Ajoutez le bouillon, portez à ébullition, réduisez le feu et laissez frémir à découvert pendant environ 10 min, jusqu'à évaporation du liquide. Lorsque les poivrons sont tendres, goûtez et rectifiez l'assaisonnement. Méfiez-vous toutefois, car le jambon est déjà bien salé.

4 Badigeonnez de matière grasse l'intérieur d'un moule à savarin de 1½ litre. Remplissez le moule de riz en tassant et lissez la surface*. Préchauffez le four à 150 °C/Th. 3 et enfournez le riz pendant environ 10 min. Réchauffez les haricots si nécessaire, incorporez le vinaigre de xérès et le persil.

5 Posez le plat de service à l'envers sur le moule, renversez en secouant vivement pour décoller le riz. Posez l'assiette et démoulez délicatement. Versez les haricots au centre de la couronne de riz et servez.

* le truc du cuisinier

Vous pouvez préparer le riz et les haricots la veille et les conserver au réfrigérateur. Sortez le riz 15 min à l'avance, avant de le réchauffer comme à l'étape n° 4.

DESSERTS

186 La cuisine espagnole n'est pas particulièrement riche en desserts. On termine en général le repas familial par un fruit frais et juteux, un morceau de fromage de chèvre crémeux ou un simple yaourt.

Au moment de leur conquête de l'Espagne, en 711 av. J.-C., les Maures introduisirent la majorité des épices exotiques que l'on utilise aujourd'hui encore pour parfumer les desserts, ainsi qu'une vaste gamme de fruits, constituée d'abricots, de cerises, de citrons, de figues, de coings, de fruits de la passion, de pêches, de prunes et de dattes. L'introduction des amandes remonte également à cette époque. Les abricots pochés à la sévillane (voir p. 215), la mousse de miel aux grenades (voir p. 207) et les dattes farcies au massepain (voir p. 225) sont donc des desserts directement inspirés de la cuisine maure.

Le flan à la vanille (voir p. 192) parfumé à l'orange, à la belle couleur dorée, est connu dans le monde entier. On le sert aussi bien dans les restaurants qu'après les repas pris en famille à la maison. Il est traditionnellement à base d'œufs et de lait, mais, dans la région de Valence, on remplace une partie du lait par du jus d'orange. La crème brûlée à la catalane a largement franchi les frontières : elle est à la carte de nombreux restaurants dans tous les pays. Il s'agit d'une crème à la vanille surmontée d'une croûte de caramel (voir p. 195). L'association du caramel croustillant et de la crème moelleuse est un véritable délice. Les historiens affirment d'ailleurs que la crème brûlée a vu le jour en Catalogne précisément, et qu'on en trouve déjà la trace dans les anciens livres de cuisine. Ces desserts simples, rappelant l'enfance, ne se démodent jamais : des beignets à la vanille (voir p. 221) ou un flan à la poêle (voir p. 222) feront le bonheur de vos convives.

Les glaces maison ont toujours un grand succès. La glace aux oranges sanguines (voir p. 204), à la belle couleur rosée et au parfum délicat, est un dessert idéal pour les dîners festifs et les réceptions. La glace aux amandes (voir p. 201), crémeuse à souhait, est facile à réaliser et convient particulièrement à ceux qui ne consomment pas d'œufs crus, car elle en est dépourvue. Le chocolat chaud qui l'accompagne dans la recette proposée ici peut se servir avec n'importe quelle glace, qu'elle soit faite maison ou achetée dans le commerce.

Le riz au lait moelleux (voir p. 196) est une spécialité cantabrique qui se mange tout au long de l'année : en hiver, servez-le chaud avec de la crème ; en été, préférez-le froid avec une salade de fruits.

Au verso Le centre de l'Espagne est occupé par une plaine sèche et aride où la vigne et les oliviers brûlent au soleil.

La glace aux oranges sanguines, à la belle couleur rosée et au parfum délicat, est un dessert idéal pour les dîners festifs et les réceptions.

Après le dîner, les Espagnols aiment discuter et s'attarder autour d'un café en dégustant quelques friandises, comme des «desserts des musiciens» (voir p. 224) ou des dattes fourrées au massepain (voir p. 225). Les «desserts des musiciens» sont de délicieuses barres au caramel agrémentées de fruits secs. Proposez-les à vos invités, qui seront enchantés du cadeau et ne voudront plus partir de chez vous !

192

flan à la vanille
flan

Le flan est le dessert espagnol par excellence et le plus connu hors de la péninsule. Vous le trouverez dans tous les restaurants. Dans la région de Valence, on remplace souvent une partie du lait par du jus d'orange. Le point commun à tous les flans est la présence de jaunes d'œufs supplémentaires qui lui donnent son moelleux. On clarifiait autrefois le vin avec des blancs d'œufs. Les cuisiniers imaginatifs récupéraient les jaunes et inventaient des recettes.

POUR 6 PERSONNES

500 ml de lait

½ orange dont on prélève 2 longues lamelles de zeste

1 gousse de vanille fendue ou ½ cuill. à café d'extrait

150 g de sucre semoule

beurre pour le moule

3 œufs, plus 2 jaunes supplémentaires

1 Dans une casserole, versez le lait et ajoutez le zeste d'orange et la gousse de vanille ou l'extrait. Portez à ébullition, retirez du feu et incorporez, en remuant, 100 g de sucre. Laissez reposer pendant 30 min au moins.

2 Pendant ce temps, mettez dans une autre casserole les 50 g de sucre restants avec 4 cuill. à soupe d'eau. Remuez pour faire fondre le sucre, portez à ébullition sans remuer pour obtenir une belle couleur blonde.

3 Retirez rapidement la casserole du feu et ajoutez quelques gouttes de jus d'orange pour arrêter la cuisson. Versez dans un moule à soufflé de ½ litre, légèrement beurré, et remuez pour tapisser le fond. Réservez.

4 Lorsque le lait a infusé, remettez sur le feu et laissez frémir doucement. Dans une jatte, battez les œufs entiers et les jaunes supplémentaires. Versez dessus le lait chaud en battant constamment. Versez le mélange en le filtrant dans le moule à soufflé.

5 Placez le moule dans un plat à rôtir, et versez de l'eau bouillante jusqu'à mi-hauteur du moule. Préchauffez le four à 160 °C/Th. 3, enfournez et laissez cuire de 1 ¼ h à 1 ½ h. Le flan est cuit lorsqu'un couteau piqué en son centre ressort propre.

6 Retirez le moule du plat à rôtir et laissez refroidir complètement. Couvrez et laissez reposer pendant 12 h.

7 Pour servir, passez un couteau autour du flan pour le décoller. Renversez sur le plat de service en secouant fermement.

Saint-Sébastien est un centre culturel important et une ville très touristique.

crème brûlée catalane
crema catalana

Ce dessert classique et crémeux, surmonté de caramel croustillant, est originaire de Catalogne. Il ressemble à la crème caramel française, dont il se distingue par sa croûte délicate et craquante. Il n'est pas cuit et reste légèrement liquide. Préparez la crème 12 h à l'avance et réservez-la au réfrigérateur pour lui permettre de s'épaissir.

POUR 6 PERSONNES

750 ml de lait

1 gousse de vanille fendue

le zeste de ½ citron

7 jaunes d'œufs

200 g de sucre semoule

3 cuill. à soupe de Maïzena

1 Préparez la crème la veille. Dans une casserole, versez le lait, ajoutez la gousse de vanille et le zeste de citron. Portez à ébullition, retirez du feu et laissez reposer pendant 30 min au moins.

2 Dans une jatte que vous pourrez poser sur la casserole sans en toucher le fond, mélangez les œufs avec 100 g de sucre. Battez jusqu'à faire fondre le sucre et épaissir le mélange.

3 Remettez le lait à la vanille sur le feu et laissez frémir doucement. Dans un bol, mélangez 4 cuill. de lait chaud avec la Maïzena pour former une pâte lisse. Incorporez en remuant cette pâte dans le lait frémissant, et faites cuire en remuant, à feu moyen, pendant 1 min.

4 Versez le lait dans le mélange d'œufs en le filtrant. Battez pour bien mélanger. Rincez la casserole et versez-y un peu d'eau. Mettez sur feu moyen et faites frémir. Réduisez le feu, posez la jatte dessus et remuez de 25 à 30 min, jusqu'à obtention d'une crème épaisse. Elle doit napper le dos de la cuillère. L'eau ne doit pas

La ville de Madrid est riche des vestiges de sa grandeur.

toucher le fond de la jatte, sans quoi les œufs coagulent.

5 Répartissez le mélange dans six moules de 10 cm de diamètre, appelés *cazuelas* en Espagne, ou dans des plats creux à crème brûlée. Laissez refroidir. Couvrez et mettez au réfrigérateur pendant 12 h.

6 Pour servir, saupoudrez les crèmes d'une fine couche de sucre semoule. En Catalogne, on brûle la crème avec un fer spécial préalablement chauffé au gaz. Vous pouvez aussi utiliser la flamme directe d'une torche, le gril du four n'étant pas suffisamment chaud. Laissez durcir le caramel, puis servez. Le caramel reste croquant pendant 1 h à température ambiante. Ne remettez pas au frais, sinon le caramel se ramollit.

196

riz au lait
arroz con leche

La Cantabrique fournit de riches produits laitiers. Il n'est pas étonnant que cette version cantabrique et populaire du riz au lait utilise de grandes quantités de lait riche et épais. Le résultat est un dessert crémeux, aussi bon chaud que froid. Vous pouvez le saupoudrer de sucre roux, d'amandes effilées caramélisées (voir p. 96), ou le servir avec des fruits pochés à la sévillane (voir p. 215).

POUR 4 À 6 PERSONNES

le zeste de 1 orange

le zeste de 1 citron

1 litre de lait

250 g de riz à grains courts

100 g de sucre semoule

1 gousse de vanille fendue

1 pincée de sel

150 ml de crème fraîche épaisse

sucre roux pour saupoudrer (facultatif)

1 Râpez finement les zestes d'orange et de citron. Réservez. Rincez une casserole à l'eau froide et ne la séchez pas.

2 Versez le lait et le riz dans la casserole. Mettez sur feu moyen et portez à ébullition. Réduisez le feu, ajoutez le sucre semoule, la gousse de vanille, les zestes d'orange et de citron. Salez et laissez frémir en remuant souvent jusqu'à obtention d'un pudding épais et crémeux et d'un riz tendre. Selon la taille de la casserole, cette opération peut prendre jusqu'à 30 min.

3 Retirez la vanille et incorporez la crème fraîche. Servez immédiatement, saupoudré de sucre roux, ou laissez refroidir. Couvrez jusqu'à atteindre la température désirée. Le riz au lait devenant épais en refroidissant, ajoutez du lait si nécessaire.

Les cathédrales majestueuses témoignent du passé religieux de l'Espagne.

198

gâteau au chocolat
pastel de chocolate

Les riches gâteaux au chocolat comme celui-ci se dégustent avec un petit café, en milieu de matinée ou d'après-midi. Il est fréquent d'en trouver dans les bars, où l'on sert aussi bien du café et du thé que de la bière et du vin. Enveloppé dans du papier d'aluminium, il se conserve jusqu'à 4 jours.

POUR 10 À 12 PARTS

100 g de raisins secs

le jus et le zeste finement râpé de 1 orange

150 g de beurre coupé en dés, plus pour tapisser le moule

100 g de chocolat noir contenant au moins 70 % de cacao, cassé en morceaux

4 œufs entiers, battus

100 g de sucre semoule

1 cuill. à café d'extrait de vanille

50 g de farine pâtissière

50 g d'amandes en poudre

½ cuill. à café de levure chimique

1 pincée de sel

50 g d'amandes blanchies, légèrement grillées et hachées

sucre glace pour décorer

1 Mettez les raisins dans une petite tasse, ajoutez le jus d'orange et laissez gonfler pendant 20 min. Tapissez un moule à gâteau à fond amovible de papier sulfurisé et beurrez le papier. Réservez.

2 Dans une casserole, faites fondre le beurre et le chocolat sur feu moyen, en remuant. Retirez du feu et laissez refroidir.

3 Au mixeur, battez les œufs, le sucre et la vanille pendant 3 min, jusqu'à obtention d'un mélange lisse et léger.

4 Égouttez les raisins secs s'ils n'ont pas absorbé tout le jus d'orange. Incorporez la farine, les amandes en poudre, la levure et le sel. Ajoutez les raisins, le zeste d'orange, les amandes, et mélangez délicatement en soulevant la masse.

5 Versez le tout dans le moule et lissez la surface. Préchauffez le four à 180 °C/Th. 4 et faites cuire pendant environ 40 min. Il est cuit lorsqu'un bâtonnet à cocktail piqué en son centre ressort propre et que les bords du gâteau se rétractent légèrement. Laissez refroidir 10 min dans le moule, puis complètement sur une grille. Saupoudrez de sucre glace avant de servir.

glace aux amandes et chocolat chaud

crema de almendras con salsa de chocolate

POUR 4 À 6 PERSONNES

150 g d'amandes blanchies (voir p. 50)

300 ml de crème fraîche épaisse

¼ cuill. à café d'essence d'amandes

150 ml de crème fleurette

50 g de sucre glace

pour le chocolat chaud

100 g de chocolat noir cassé en morceaux

3 cuill. à soupe de sirop d'érable

4 cuill. à soupe d'eau

20 g de beurre coupé en dés

¼ de cuill. à café d'extrait de vanille

1 Préchauffez le four à 200 °C/Th. 5. Placez les amandes blanchies sur une plaque allant au four et faites-les griller de 8 à 10 min. Remuez-les de temps en temps, jusqu'à ce qu'elles soient bien dorées et dégagent une bonne odeur. Au bout de 7 min, surveillez-les car elles brûlent rapidement. Transférez-les sur une planche et laissez refroidir. Hachez-en grossièrement 50 g au couteau et réduisez le reste en poudre. Réservez le tout.

2 Battez la crème fraîche avec l'essence d'amandes jusqu'à obtention d'une masse ferme. Ajoutez la crème fleurette et continuez à battre en incorporant le sucre glace en trois fois. Versez le tout dans une sorbetière et transformez en glace en suivant les instructions du fabricant*. Lorsque la glace est pratiquement formée, transférez-la dans une jatte et ajoutez les amandes grossièrement hachées en remuant pour les répartir de façon régulière.

3 Versez le mélange dans un moule à cake de 450 g et lissez la surface. Enveloppez dans du papier d'aluminium et mettez au congélateur pendant 3 h au moins.

4 Pour réaliser le chocolat chaud, placez une jatte sur une casserole d'eau frémissante. Mélangez le chocolat, le sirop d'érable et l'eau dans la jatte et faites fondre en remuant. Incorporez le beurre et l'extrait de vanille jusqu'à obtention d'une sauce lisse.

5 Pour servir, retirez le papier d'aluminium et trempez la base du moule dans l'eau bouillante pendant quelques secondes. Renversez sur le plat de service en secouant fermement. Avec une spatule, tapissez la glace avec les amandes en poudre. Remettez au congélateur jusqu'au moment de servir.

6 Avec un couteau chaud, découpez de 8 à 12 tranches de glace. Déposez deux tranches sur chaque assiette et nappez légèrement de chocolat chaud.

* le truc du cuisinier

Si vous ne possédez pas de sorbetière, mettez la glace dans le congélateur. Laissez prendre pendant 2 h. Battez bien, puis remettez au froid jusqu'à ce que la glace soit pratiquement formée. Incorporez les amandes et poursuivez à partir de l'étape n° 3.

Vous pouvez réaliser ce dessert à l'avance. Retirez la glace du congélateur 15 min avant de servir et réchauffez doucement la sauce au chocolat.

pudding au chocolat
pudíns de chocolate

1 Dans une casserole, faites fondre à feu doux le chocolat avec le jus d'orange et l'eau, en remuant constamment. Retirez du feu et incorporez le beurre jusqu'à le faire fondre complètement. À l'aide d'une spatule en caoutchouc, transférez le chocolat dans un bol.

2 Battez les jaunes d'œufs pour les mélanger, puis ajoutez-les en battant au chocolat fondu. Réservez et laissez refroidir.

3 Dans une jatte, battez les blancs en neige ferme avec la crème de tartre. Incorporez petit à petit le sucre, cuillerée par cuillerée. Continuez à battre jusqu'à obtention d'une meringue brillante. Incorporez en battant 1 cuill. à soupe de meringue dans le chocolat, puis le reste en soulevant délicatement la masse.

4 Séparément, battez la crème en chantilly souple. Incorporez délicatement le chocolat et répartissez dans des coupes individuelles ou versez dans un saladier. Couvrez de film alimentaire et mettez au frais pendant 4 h au moins.

5 Entre-temps, réalisez le pralin. Tapissez légèrement d'huile de tournesol une plaque allant au four. Réservez. Dans une casserole, mettez le sucre et les pistaches sur feu moyen. Lorsque le sucre commence à fondre, remuez jusqu'à obtention d'un caramel liquide, et jusqu'à ce que les pistaches grésillent.

POUR 4 À 6 PERSONNES

200 g de chocolat noir contenant au moins 70 % de cacao, cassé en morceaux

1½ cuill. à soupe de jus d'orange

3 cuill. à soupe d'eau

20 g de beurre coupé en dés

2 œufs, blancs et jaunes séparés

⅛ cuill. à café de crème de tartre (levure chimique)

3 cuill. à soupe de sucre semoule

6 cuill. à soupe de crème fraîche épaisse

pour le pralin aux pistaches

huile de tournesol pour graisser

50 g de sucre semoule

50 g de pistaches décortiquées

le zeste finement râpé de 1 orange

6 Versez le pralin sur la plaque et, immédiatement, râpez finement le zeste d'orange dessus. Laissez refroidir et durcir. Hachez grossièrement ou finement selon votre goût. Mettez dans une boîte hermétique et conservez à température ambiante.

7 Avant de servir, saupoudrez le pudding de pralin.

variante
Vous pouvez aussi réaliser le pralin avec des amandes blanchies ou des noisettes.

204

glace aux oranges sanguines
helado de naranjas de sangre

Les biscuits aux amandes (voir p. 216) se marient bien avec cette délicieuse glace.

POUR 4 À 6 PERSONNES

3 oranges sanguines lavées

100 ml de lait demi-écrémé

100 ml de crème fleurette

150 g de sucre semoule

4 jaune d'œufs

450 ml de crème fraîche épaisse

$\frac{1}{8}$ cuill. à café d'essence de vanille

1 Prélevez le zeste de 2 oranges, et réservez quelques lanières pour décorer. Râpez finement le zeste de la troisième orange. Pressez les oranges pour obtenir entre 100 et 150 ml de jus.

2 Versez le lait et la crème fleurette dans une casserole avec les zestes entiers. Portez à ébullition, puis retirez du feu. Laissez infuser pendant 30 min au moins.

3 Dans une jatte pouvant se poser sur la casserole sans en toucher le fond, mélangez le sucre et les jaunes d'œufs. Battez jusqu'à obtention d'une crème épaisse.

4 Remettez le lait sur le feu et faites frémir. Versez le lait sur les œufs et mélangez bien en battant. Lavez la casserole et remplissez d'un peu d'eau. Mettez sur feu moyen et faites frémir. Baissez le feu. Posez la jatte dessus et battez pendant 20 min jusqu'à obtention d'une crème épaisse nappant le dos d'une cuillère. L'eau ne doit pas toucher le fond de la jatte, sinon les œufs risquent de coaguler.

5 Filtrez le mélange dans une jatte propre. Incorporez les zestes d'orange finement râpés et réservez pendant 10 min.

6 Incorporez le jus réservé, la crème fraîche et l'extrait de vanille. Versez le tout dans une sorbetière et transformez en glace en suivant les instructions du fabricant. Vous pouvez aussi faire la glace au congélateur. Laissez prendre pendant 2 h. Transférez dans une jatte et battez. Remettez au congélateur et recommencez ainsi deux fois. Sortez la glace du congélateur 15 min avant de servir. Décorez avec des lanières de zeste d'orange.

Dans les villes et les villages, ne suivez pas les touristes, mais plutôt les autochtones !

sorbet au cava
sorbete de limón con cava

Ce sorbet au citron est vite fait. Frais et parfumé, on peut le servir le soir même. Préparé à l'avance, il se garde pendant des mois au congélateur.

POUR 4 À 6 PERSONNES

3 ou 4 citrons

200 ml d'eau

200 g de sucre semoule

1 bouteille de cava (vin champagnisé catalan) frais
   pour accompagner

1 Roulez les citrons sur le plan de travail, pour exprimer plus facilement tout leur jus. Prélevez quelques zestes et réservez-les pour décorer. Râpez finement le zeste de 3 citrons. Pressez suffisamment de citrons pour obtenir 200 ml de jus.

2 Dans une casserole, mélangez l'eau et le sucre. Faites fondre sur feu moyen en remuant. Portez à ébullition et laissez cuire pendant 2 min. Retirez du feu, ajoutez les zestes de citron, couvrez et laissez reposer pendant 20 min, jusqu'à refroidissement.

3 Lorsque le mélange est froid, ajoutez le jus de citron, versez dans une sorbetière et suivez les instructions du fabricant. Vous pouvez aussi laisser prendre le mélange au congélateur pendant 2 h. Transférez dans une jatte et battez. Remettez au congélateur et recommencez ainsi deux fois. Sortez du congélateur 10 min avant de servir.

4 Pour servir, transférez dans quatre à six coupes et décorez avec les zestes réservés. Arrosez de cava.

variante

Vous pouvez aussi servir ce sorbet dans des citrons évidés et creusés. Coupez les chapeaux de 4 à 6 citrons et, avec une cuillère à café, évidez les citrons. Remplissez les citrons de sorbet et mettez-les debout dans le congélateur jusqu'au moment de servir.

mousse de miel aux grenades
mousse de miel adornado

POUR 6 PERSONNES

1 œuf, plus 3 jaunes supplémentaires

200 g de miel

300 ml de crème fraîche épaisse

3 grenades pour décorer

1 Tapissez six ramequins de film alimentaire, en laissant dépasser un excédent sur les bords. Réservez.

2 Dans une jatte, mélangez en battant l'œuf entier, les jaunes d'œufs et le miel. Versez la crème dans une jatte et battez en chantilly ferme. Mélangez délicatement la crème et le mélange d'œufs et de miel.

3 Répartissez la mousse dans les ramequins. Rabattez l'excédent de film sur la surface des mousses. Mettez au congélateur pendant 8 h au moins, pour raffermir les mousses. On peut les servir dès la sortie du congélateur, car la texture des mousses reste souple.

4 Pour servir, dépliez le film. Renversez les ramequins sur les assiettes de service et retirez le film. Coupez les grenades en deux. Tenez une moitié au-dessus de l'une des mousses, tapez vigoureusement la base de la grenade pour saupoudrer de graines. Servez immédiatement.

Au verso *Tolède, qui fut la capitale de l'Espagne jusqu'en 1561, domine le Tage.*

abricots rôtis au miel

albaricoques al horno con miel

POUR 4 PERSONNES

beurre pour le plat

4 abricots coupés en deux, dénoyautés

4 cuill. à soupe d'amandes effilées

4 cuill. à soupe de miel

1 pincée de gingembre en poudre ou de noix de muscade

glace à la vanille pour servir (facultatif)

1 Beurrez légèrement un plat allant au four et suffisamment grand pour contenir les abricots en une seule couche.

2 Déposez les abricots au fond, partie coupée vers le haut. Répartissez dessus les amandes, arrosez de miel et saupoudrez avec les épices.

3 Préchauffez le four à 200 °C/Th. 5 et faites cuire les abricots pendant 12 à 15 min, jusqu'à ce qu'ils soient tendres et les amandes dorées. Retirez du four et servez immédiatement, avec une glace à la vanille si vous le souhaitez.

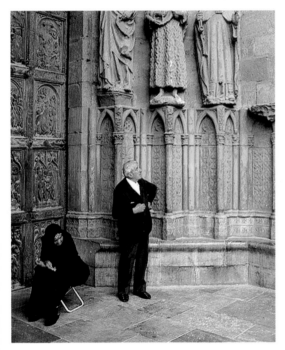

*Les détails sculptés sur les églises
et les cathédrales forcent l'admiration.*

oranges de valence au caramel
naranjas de valencia con caramelo

Les plantations d'orangers de la région de Valence fournissent toute l'Europe en fruits sucrés et juteux. Vous pouvez préparer ce dessert à l'avance et le conserver au réfrigérateur. Il est délicieux seul ou accompagné d'une glace à la vanille ou au chocolat.

POUR 4 À 6 PERSONNES

4 oranges juteuses

250 g de sucre semoule

300 ml d'eau

de 4 à 6 cuill. à soupe d'amandes effilées et grillées

1 Travaillez au-dessus d'une jatte pour récupérer le jus. Avec un couteau pointu, épluchez les oranges en supprimant toutes les peaux blanches. Coupez les quartiers d'orange en ôtant les membranes qui les séparent. Pressez ces membranes au-dessus de la jatte pour en extraire tout le jus, puis jetez-les. Réservez le jus.

2 Dans une casserole, réunissez le sucre et 150 ml d'eau. Mettez sur feu moyen. Remuez pour faire fondre le sucre puis portez à ébullition sans remuer, jusqu'à obtention d'une belle couleur dorée.

3 Versez le reste de l'eau dans la casserole (attention, le caramel peut gicler !). Remuez pour obtenir un caramel homogène. Retirez du feu et laissez légèrement refroidir, puis versez le caramel sur les oranges. Remuez pour mélanger le caramel et le jus d'orange. Laissez refroidir complètement, puis couvrez de film alimentaire et mettez au réfrigérateur pendant 2 h avant de servir.

4 Juste avant de servir, saupoudrez d'amandes effilées.

abricots pochés à la sévillane

frutas escalfadas a la sevillana

L'abondance de fruits et d'épices dans la cuisine andalouse témoigne de l'influence maure. Ici, on utilise des abricots, mais vous pouvez les remplacer par des poires ou des nectarines. Servez ces fruits pochés seuls ou avec une glace à la vanille, du riz au lait (voir p. 196) ou des beignets à la vanille (voir p. 221).

POUR 4 À 6 PERSONNES

pour le sirop

½ **cuill. à café de graines de fenouil**

½ **cuill. à café de graines de coriandre**

¼ **cuill. à café de grains de poivre noir**

200 g de sucre semoule

200 ml de vin rouge de type rioja

200 ml d'eau

3 cuill. à soupe de jus d'orange

2 cuill. à soupe de jus de citron

2 cuill. à soupe de xérès

3 clous de girofle

1 bâton de cannelle

12 abricots bien mûrs, coupés en deux, dénoyautés

2 cuill. à soupe d'amandes effilées et grillées
   pour décorer

1 Commencez par le sirop au vin rouge. Dans une casserole, réunissez le fenouil, la coriandre et le poivre. Mettez sur feu vif et laissez les graines se dessécher pendant 1 min, jusqu'à ce qu'elles dégagent leur parfum. Versez-les immédiatement dans un bol pour arrêter la cuisson. Écrasez-les légèrement dans un mortier.

2 Dans une casserole, réunissez le sucre, le vin, l'eau, le jus d'orange et de citron, le xérès et les épices. Mettez sur feu moyen et remuez pour dissoudre le sucre. Portez à ébullition sans remuer et laissez cuire pendant 5 min.

3 Ajoutez les fruits et laissez frémir de 6 à 8 min, jusqu'à ce qu'ils soient tendres. Retirez du feu, transférez dans une jatte remplie d'eau glacée et laissez refroidir. Lorsque les fruits sont suffisamment froids pour être manipulés, pelez-les. Couvrez et mettez au frais jusqu'à leur utilisation.

4 Pendant ce temps, remettez le jus sur le feu et portez à ébullition. Laissez réduire jusqu'à obtention d'un sirop épais aux parfums concentrés. Retirez du feu et laissez refroidir.

5 Au moment de servir, déposez les fruits dans une coupe, arrosez de sirop et saupoudrez avec les amandes effilées.

216

biscuits aux amandes
galletas de almendras

Les marchandises fraîches et colorées circulent quotidiennement dans les villes et les villages espagnols.

Ces savoureux gâteaux aux amandes se dégustent à la période de Pâques. Il est difficile de leur résister car les pâtisseries en regorgent.

POUR ENVIRON 60 BISCUITS

150 g de beurre à température ambiante

150 g de sucre semoule

100 g de farine pâtissière

20 g d'amandes en poudre

1 pincée de sel

50 g d'amandes blanchies (voir p. 50), grillées et broyées

le zeste finement râpé de 1 citron

4 blancs d'œufs

1 Dans une jatte, réunissez le beurre et le sucre et battez jusqu'à obtention d'une masse légère et crémeuse. Incorporez la farine, les amandes en poudre et le sel. Avec une spatule, ajoutez les amandes broyées et le zeste de citron.

2 Battez les blancs en neige ferme et incorporez-les à la pâte en soulevant délicatement la masse.

3 Sur une plaque à pâtisserie beurrée, déposez avec une cuillère à café des petits tas de pâte. Maintenez une certaine distance entre eux, car ils s'étalent à la cuisson. Il sera sans doute nécessaire de les cuire en plusieurs fois. Préchauffez le four à 180 °C/Th. 4 et faites cuire de 15 à 20 min, jusqu'à ce que les bords des biscuits prennent une belle couleur dorée. Transférez sur une grille et laissez refroidir. Faites ainsi cuire tous les biscuits. Vous pouvez les conserver dans une boîte hermétique jusqu'à 1 semaine.

tarte aux amandes
tarta de santiago

En Espagne, la tarte aux amandes n'est pas exclusivement réservée au dessert. On la trouve dans les cafés et les bars où on la déguste à toute heure du jour avec un café. Son succès est prodigieux à Saint-Jacques-de-Compostelle, visitée chaque année par des milliers de pèlerins. On y décore les gâteaux de coquilles Saint-Jacques en sucre glace, appliquées au pochoir. Posez une coquille Saint-Jacques sur la tarte, et saupoudrez de sucre glace. Retirez la coquille, sa trace apparaîtra à la surface du gâteau.

POUR UNE TARTE DE 25 cm DE DIAMÈTRE

pour la pâte

300 g de farine pâtissière

150 g de sucre semoule

1 cuill. à café de zeste de citron finement râpé

1 pincée de sel

150 g de beurre froid coupé en petits dés

1 œuf légèrement battu

1 cuill. à soupe d'eau glacée

haricots secs

200 g de beurre à température ambiante

200 g de sucre semoule

3 œufs

200 g d'amandes en poudre

2 cuill. à café de farine pâtissière

1 cuill. à soupe de zeste d'orange
  finement râpé

½ cuill. à café d'essence d'amandes

sucre glace pour décorer

crème fraîche pour servir (facultatif)

1 Commencez par la pâte. Dans une jatte, réunissez la farine, le sucre, le zeste de citron et le sel. Incorporez le beurre en frottant avec les mains, jusqu'à obtention d'une pâte sablée. Mélangez l'œuf et l'eau et ajoutez-les doucement à la farine. Travaillez la pâte avec une fourchette pour obtenir une masse ferme. Formez une boule et laissez reposer au frais pendant 1 h au moins.

2 Étalez la pâte sur une surface farinée* pour qu'elle fasse 3 mm d'épaisseur. Beurrez un moule de 25 cm de diamètre et tapissez avec la pâte. Mettez le moule au réfrigérateur pendant 15 min au moins.

3 Couvrez la pâte de papier sulfurisé et de haricots secs, pour cuire la pâte à blanc. Préchauffez le four à 220 °C/Th. 6. Faites cuire la pâte pendant 12 min. Ôtez les haricots et le papier sulfurisé, remettez au four pendant 4 min pour sécher la base. Retirez du four et réduisez la température à 200 °C/Th. 5.

4 Entre-temps, préparez la garniture. Battez le beurre et le sucre en crème. Ajoutez les œufs, les amandes, la farine, les zestes et l'essence d'amandes. Mélangez.

5 Versez l'appareil dans le moule et lissez la surface. Faites cuire 30 min, jusqu'à ce que la surface dore. La pointe d'un couteau enfoncée en son centre doit ressortir propre. Laissez refroidir sur une grille puis décorez en saupoudrant de sucre glace (voir plus haut). Servez avec de la crème fraîche, selon votre désir.

* le truc du cuisinier
Si vous avez du mal à étaler la pâte, placez-la entre deux morceaux de film alimentaire. Roulez, puis retirez la couche supérieure. Déposez dans le moule, puis ôtez la couche inférieure. Vous pouvez aussi l'étaler en plusieurs fois, puis assembler les morceau avec les doigts.

beignets à la vanille
pasteles fritos

Un régal pour les enfants de tous âges !

POUR 16 À 20 BEIGNETS

100 g de farine pâtissière

50 g de beurre fondu

1 cuill. à soupe de crème de xérès

½ cuill. à café d'extrait de vanille

1 pincée de sel

1 œuf légèrement battu

huile d'olive pour la friture

pour décorer

2 cuill. à soupe de sucre glace

½ cuill. à café de cannelle en poudre

1 pincée de gingembre en poudre

1 Versez la farine dans une jatte et faites un puits au centre. Ajoutez le beurre, la crème de xérès, l'extrait de vanille, le sel et 1 cuill. à soupe d'œuf battu. Mélangez intimement pour former une pâte. Pétrissez jusqu'à obtention d'une masse lisse. Formez une boule, enveloppez dans du film alimentaire et laissez reposer à température ambiante pendant 15 min.

2 Sur une surface légèrement farinée, étalez finement la moitié de la pâte. Avec un emporte-pièce de 5 cm de diamètre, découpez de 8 à 10 cercles. Rassemblez les chutes et étalez à nouveau. Faites de même avec la seconde moitié de pâte.

3 Dans une bassine à friture, versez 5 cm d'huile et faites chauffer à 180 °C. Vous pouvez vérifier la température en y trempant un morceau de pain rassis qui doit dorer en 30 s. Trempez 5 ou 6 cercles de pâte dans l'huile et faites frire pendant 45 s (travaillez par petites quantités). Retournez-les avec une écumoire et laissez frire jusqu'à ce que les beignets gonflent et dorent. Déposez sur du papier absorbant et laissez bien égoutter. Attention, les beignets sont fragiles et se cassent facilement. Continuez ainsi à cuire tous les beignets.

4 Mélangez le sucre glace, la cannelle et le gingembre, et saupoudrez les beignets encore chauds de ce mélange à l'aide d'une passoire fine. Vous pouvez conserver les beignets jusqu'à 3 jours dans un récipient hermétique.

flan à la poêle
leche frita

POUR 25 PIÈCES

huile neutre

600 ml de lait entier

1 bâton de cannelle

le zeste de 1 citron, sans blanc

2 œufs, plus 1 jaune supplémentaire

100 g de sucre semoule

50 g de farine, plus pour saupoudrer

30 g de Maïzena

1 cuill. à café d'extrait de vanille

huile d'olive

sucre semoule et cannelle pour décorer

1 Tapissez une plaque à pâtisserie de 30 cm x 25 cm de papier sulfurisé, et huilez légèrement. Réservez.

2 Versez le lait dans une casserole, ajoutez le bâton de cannelle et le zeste de citron. Portez à ébullition, retirez du feu et laissez infuser pendant 30 min.

3 Dans une jatte, réunissez les œufs, le jaune supplémentaire, le sucre, la farine, la Maïzena et l'extrait de vanille. Battez pour obtenir un mélange lisse.

4 Remettez le lait sur le feu et faites frémir. Versez sur les œufs et battez pour bien mélanger. Portez à ébullition en remuant. Baissez le feu et laissez frémir pendant 2 ou 3 min, jusqu'à faire épaissir la crème qui doit se décoller des bords de la casserole.

5 Versez l'appareil sur la plaque à pâtisserie, et lissez la surface avec une spatule humide. Laissez refroidir complètement, puis couvrez et mettez au frais pendant 2 ou 3 min.

6 Renversez le flan sur une planche à découper et retirez le papier sulfurisé. Découpez en diagonale pour former 25 triangles. Coupez les excédents pour obtenir des bords nets. Saupoudrez de farine et secouez.

7 Dans une sauteuse, portez 5 cm d'huile à 180 °C. Vous pouvez vérifier la température en y trempant un morceau de pain rassis qui doit dorer en 30 s. Déposez 5 ou 6 triangles dans la sauteuse et faites frire pendant 45 s. Retournez avec une écumoire. Faites dorer la seconde face. Déposez sur du papier absorbant et égouttez bien. Faites de même avec tous les triangles de flan. Saupoudrez de sucre et de cannelle et servez.

Malgré leur style de vie moderne, les Espagnols affectionnent toujours la cuisine régionale.

dessert des musiciens
postre de músico

Ces bouchées craquantes aux fruits et aux noix tirent leur nom de l'époque où les musiciens voyageaient à travers le pays pour se produire dans les fêtes ou pour donner des concerts improvisés. Leur maigre salaire consistait souvent en un repas, un lit pour la nuit ou des fruits secs et des noix pour le lendemain. En souvenir de cette époque, les gâteaux et biscuits contenant des fruits secs et des noix s'appellent toujours postre de músico, *ou dessert des musiciens.*

POUR 3 BARRES

500 g de sucre semoule

150 ml d'eau

⅛ cuill. à café de vinaigre de vin blanc

huile neutre

300 g d'un mélange de noix : amandes blanchies ou non, amandes effilées, noisettes sans la peau, cacahuètes, noix de pécan (salées ou non)

100 g de raisins secs

50 g d'abricots secs, figues, dattes finement hachés

50 g de pignons de pin

1 Dans une casserole, réunissez le sucre, l'eau et le vinaigre. Mettez sur feu moyen et remuez pour dissoudre le sucre. Portez à ébullition jusqu'à 175 °C. Vérifiez la température au thermomètre culinaire ou attendez que le caramel prenne une couleur ambrée.

2 Pendant ce temps, huilez généreusement une plaque à pâtisserie de 30 cm x 25 cm, ainsi qu'un grand couteau à émincer. Réservez. Dans un bol, mélangez les noix, les fruits et les pignons de pin.

3 Lorsque le caramel est prêt, incorporez les noix, les fruits et les pignons de pin et versez immédiatement sur la plaque. Travaillez rapidement en étalant régulièrement avec une spatule humide.

4 Laissez prendre pendant quelques minutes. Pour pouvoir être découpée, la masse doit être ferme mais non cassante. Renversez sur une feuille de papier sulfurisé huilée, et découpez avec le couteau à émincer en 3 barres de 10 cm x 25 cm. Laissez refroidir jusqu'à ce que le caramel soit croustillant. Enveloppez dans du papier et conservez jusqu'à 1 semaine.

dattes fourrées au massepain

dátiles rellenos de melindres

Elche, près d'Alicante sur la Costa Blanca, est depuis 3 000 ans la patrie des palmiers dattiers. Les dattes font excellent ménage avec le massepain, l'un des nombreux héritages maures. Le massepain espagnol est différent du massepain des pays du nord de l'Europe, car il ne contient pas de blanc d'œuf. Les manières de le parfumer sont infinies : essayez les zestes d'orange ou de citron, les fruits confits finement râpés ou les pistaches broyées.

POUR 10 À 15 DATTES

pour le massepain

50 g de sucre glace, plus pour saupoudrer

50 g d'amandes en poudre

¼ cuill. à café d'essence d'amandes

de 10 à 15 dattes

1 Pour faire le massepain, mélangez le sucre glace et les amandes dans une jatte. Arrosez d'essence d'amandes. Ajoutez petit à petit un peu d'eau, par quart de cuillerée à café, jusqu'à ce que la masse devienne compacte et qu'on puisse en faire une boule.

2 Pétrissez le massepain avec vos mains, puis sur une surface de travail saupoudrée de sucre glace, jusqu'à obtention d'une masse lisse. Il est prêt à l'utilisation, mais il se peut se conserver 3 jours au réfrigérateur.

3 Pour farcir les dattes, utilisez un petit couteau. Fendez les dattes, ouvrez-les et retirez le noyau. Prélevez une petite quantité de massepain, formez un petit cylindre et logez-le à la place du noyau. Rangez les dattes sur un plat et servez après le dîner, avec le café.

ACCOMPAGNEMENTS ET BOISSONS

La simplicité est la clé de la cuisine espagnole, les sauces sophistiquées en sont exclues.

La sauce romesco (voir p. 233), originaire de Catalogne, à base d'amandes grillées, de tomates et de piments séchés, était au départ un ragoût de poisson que l'on dégustait dans le petit port de Tarragone. Devenue sauce, la préparation se sert avec les poissons et les fruits de mer sous toutes leurs formes (son association avec la volaille ou les côtes de porc grillées est délicieuse mais moins conventionnelle).

Dans les îles Canaries, on accompagne les pommes de terre en robe de sel (voir p. 84) de *mojo rojo,* une sauce rouge réalisée avec des *pimientos del piquillo* et rehaussée de paprika. Elle se marie bien avec les boulettes de viande (voir p. 77). La version verte de cette sauce, *mojo verde,* est parfumée à la coriandre.

La sauce aïoli est de tradition ancienne. Les historiens espagnols spécialisés dans l'histoire culinaire pensent même qu'elle est née en Espagne et a donné naissance à la mayonnaise. Son nom signifie littéralement ail et huile. Sa saveur forte dépend de la quantité d'ail qu'elle contient : faites en fonction du goût de chacun.

La version espagnole se distingue peu de l'aïoli provençal, bien qu'elle soit à l'origine simplement composée d'ail écrasé et d'huile d'olive, que l'on incorporait lentement pour former une émulsion. La technique étant difficile à maîtriser, on ajoute un jaune d'œuf pour stabiliser l'émulsion et rendre la sauce plus épaisse.

La confection de l'aïoli est facile et rapide (voir p. 232). Mais, pour les cuisiniers espagnols, la solution de facilité consiste à l'acheter dans un supermarché où l'on en trouve d'innombrables versions. Si vous le faites vous-même, conservez-le au réfrigérateur dans un bocal fermé et consommez-le dans les 3 jours.

Les pommes de terre sautées (voir p. 247) associent l'amour des Espagnols pour la cuisson dans l'huile et pour les pommes de terre. Les plats à base de pommes de terre se retrouvent partout et se servent aussi bien avec les viandes que les poissons. Le riz, comme les légumes, est rarement proposé en accompagnement. Nous les avons ici traités différemment pour les adapter aux pratiques des autres pays. Les cœurs d'artichauts aux petits pois (voir p. 248) sont un plat complet. Le riz au xérès (voir p. 243), raffiné et délicat, se marie aussi bien avec un rôti qu'avec le veau et légumes en escabèche

Lorsque la chaleur devient caniculaire, désaltérez-vous avec la citronnade, légèrement amère et plus rafraîchissante que la limonade.

(voir p. 139). La recette du riz au safran et légumes verts (voir p. 244) transforme de simples côtes d'agneau grillées en un repas.

Lorsque la chaleur devient caniculaire, désaltérez-vous avec la citronnade (voir p. 252), légèrement amère et plus rafraîchissante que la limonade. La très classique sangria (voir p. 253) est idéale pour les longues soirées d'été. Faites macérer les fruits dans du vin rouge espagnol pour un dépaysement total.

232

aïoli
allioli

L'aïoli est le grand classique de la cuisine catalane. On le sert avec les fritures de poissons et fruits de mer ainsi qu'avec les tapas. Il est également excellent avec de jeunes légumes simplement cuits à l'eau. Faites cuire des asperges, des petites carottes de printemps et des pommes de terre nouvelles séparément, dans de l'eau bouillante légèrement salée pour qu'ils restent croquants, égouttez-les, arrêtez la cuisson en les plongeant dans l'eau glacée, puis épongez-les avec du papier absorbant. Disposez-les sur un plat, salez, poivrez et servez avec un bol d'aïoli.

Il se distinguait autrefois de l'aïoli provençal car, à l'origine, il ne contenait pas de jaune d'œuf. Cette méthode, plus difficile, fut abandonnée. Aujourd'hui, les deux sauces sont identiques.

POUR 350 ml DE SAUCE

3 ou 4 gousses d'ail, selon votre goût

sel

2 jaunes d'œufs

1 cuill. à café de jus de citron

300 ml d'huile d'olive

sel, poivre

1 Écrasez l'ail. Salez. Mettez au mixeur, avec les jaunes d'œufs, le jus de citron et réduisez en pâte fine.

2 Tout en faisant fonctionner le mixeur, ajoutez petit à petit l'huile d'olive par le goulot jusqu'à former une émulsion lisse et épaisse. Goûtez et rectifiez l'assaisonnement si nécessaire. Couvrez et conservez au frais jusqu'à 3 jours.

variante : aïoli au safran

Diluez une pincée de safran dans 2 cuill. à soupe d'eau chaude et laissez infuser 10 min. Suivez la recette et ajoutez le safran à l'étape n° 2, quand la sauce épaissit.

On sert traditionnellement cette sauce catalane avec le poisson et les fruits de mer, mais elle ajoute une note espagnole au poulet, au porc ou à l'agneau. La recette authentique contient du piment romesco, à la fois doux et épicé. Il est difficile à trouver, c'est pourquoi cette recette utilise du piment de la variété ñora, à la douceur analogue. Les piments séchés relèvent la sauce.

sauce romesco 233
romesco

POUR 300 ml DE SAUCE

4 tomates bien mûres

16 amandes blanchies (voir p. 50)

3 gousses d'ail en chemise

1 piment séché de la variété ñora, trempé dans l'eau
pendant 20 min et épongé

4 piments rouges séchés, trempés dans l'eau pendant
20 min et épongés

1 pincée de sucre

150 ml d'huile d'olive

environ 2 cuill. à soupe de vinaigre de vin rouge

sel, poivre

1 Préchauffez le four à 180 °C/Th. 4. Placez les tomates, les amandes et l'ail sur une plaque à pâtisserie et mettez au four pendant 20 min. Surveillez la cuisson au bout de 7 min, car les amandes brûlent facilement. Sortez le tout dès que les parfums s'exhalent.

2 Pelez l'ail et les tomates. Dans un mixeur, réunissez les amandes, l'ail, les piments séchés et hachez finement. Ajoutez les tomates et le sucre et mixez encore.

3 Tout en faisant fonctionner le mixeur, ajoutez doucement l'huile d'olive par le goulot. Versez 1½ cuill. à soupe de vinaigre et mixez rapidement. Goûtez, ajoutez du vinaigre si nécessaire, salez et poivrez.

4 Laissez reposer pendant 2 h au moins, puis servez à température ambiante. Vous pouvez couvrir la sauce et la conserver au frais jusqu'à 3 jours. Reportez à température ambiante et mélangez bien avant de servir.

sauté de légumes
pisto

Ce sauté de légumes est l'équivalent espagnol de la ratatouille. Il est succulent en été, lorsque les légumes sont à pleine maturité. En Espagne, on le sert souvent froid, à la façon d'une salade, ou en tapas, sur des tranches de pain. Chaud, il accompagne idéalement les viandes grillées. Dans cette version, les légumes sont cuits individuellement afin qu'ils conservent tous leurs parfums.

POUR 4 À 6 PERSONNES

environ 150 ml d'huile d'olive

2 oignons finement émincés

4 gousses d'ail écrasées

300 g d'aubergines coupées en cubes de 1 cm de côté

300 g de courgettes coupées en cubes de 1 cm de côté

1 poivron rouge nettoyé, épépiné et coupé en morceaux

1 poivron jaune nettoyé, épépiné et coupé en morceaux

1 poivron vert nettoyé, épépiné et coupé en morceaux

2 branches de thym

1 feuille de laurier

1 branche de romarin

100 ml de bouillon de légumes

sel, poivre

450 g de tomates pelées (voir p. 63), épépinées
  et coupées en morceaux

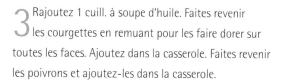

1 Dans une grande casserole, faites chauffer à feu moyen environ 2 cuill. à soupe d'huile. Ajoutez les oignons et faites fondre en remuant de temps en temps pendant 5 min. Ne laissez pas roussir. Ajoutez l'ail et remuez. Baissez le feu et réduisez au minimum.

2 Pendant ce temps, faites chauffer une poêle à feu vif, jusqu'à sentir la chaleur se dégager. Versez 1 cuill. à soupe d'huile, puis les aubergines en une seule couche. Faites revenir et dorer sur toutes les faces. Ajoutez aux oignons.

3 Rajoutez 1 cuill. à soupe d'huile. Faites revenir les courgettes en remuant pour les faire dorer sur toutes les faces. Ajoutez dans la casserole. Faites revenir les poivrons et ajoutez-les dans la casserole.

4 Ajoutez le thym, la feuille de laurier, le romarin et le bouillon. Salez, poivrez et portez à ébullition. Réduisez le feu au minimum. Couvrez et laissez frémir en remuant de temps en temps, pendant 20 min jusqu'à ce que les légumes soient tendres et bien mélangés.

5 Retirez la casserole du feu et ajoutez les tomates. Couvrez et laissez reposer pendant 10 min pour permettre aux tomates de cuire. Le *pisto* est prêt à servir, mais il est encore meilleur froid, le lendemain.

236

sauce tomate aux poivrons
salsa de tomates y pimientos

La quantité de zestes d'orange contenue dans cette sauce simple et pratique modifie radicalement son goût. En hiver, lorsque les tomates sont fades, l'orange rehausse le goût de l'ensemble.

POUR ENVIRON 700 ml DE SAUCE

4 cuill. à soupe d'huile d'olive

10 gousses d'ail

150 g d'échalotes hachées

4 poivrons rouges nettoyés, épépinés et coupés
en morceaux

1 kg de tomates bien mûres coupées en morceaux
(ou de tomates en boîte)

le zeste de 2 oranges

1 pincée de flocons de piment rouge (facultatif)

sel, poivre

1 Dans une casserole, faites chauffer l'huile d'olive à feu moyen. Ajoutez l'ail, les échalotes et les poivrons et faites revenir pendant 10 min en remuant de temps en temps, jusqu'à ce que les poivrons soient tendres mais non dorés.

2 Ajoutez les tomates avec leur jus, les zestes d'orange, les flocons de piment, le cas échéant. Salez et poivrez. Réduisez le feu au minimum et laissez frémir à découvert pendant 45 min. Le liquide réduit et la sauce devient épaisse.

3 Réduisez la sauce en purée à l'aide d'un moulin à légumes ou d'un mixeur. Passez dans une passoire fine en pressant avec une cuillère en bois. Goûtez et rectifiez l'assaisonnement si nécessaire. Servez de suite ou couvrez et conservez au frais jusqu'à 3 jours.

Monteagudo, dans la province de Murcie, d'où proviennent les grandes quantités de riz, de légumes et de fruits qui nourrissent l'Espagne.

épinards aux pois chiches
espinacas con garbanzos

On trouve des pois chiches dans les recettes andalouses depuis des siècles. Énergétiques et nourrissants, ils servaient de nourriture aux conquistadores espagnols au cours de leurs longs voyages à la découverte du Nouveau Monde. La présence de cumin, de poivre de Cayenne et de curcuma témoigne des influences nord-africaine et maure. Servez ce plat avec une viande rôtie ou grillée, ou encore seul, pour un repas végétarien.

POUR 4 À 6 PERSONNES

2 cuill. à soupe d'huile olive

1 gousse d'ail coupée en deux

1 oignon finement haché

½ cuill. à café de cumin

1 pincée de poivre de Cayenne

1 pincée de curcuma

800 g de pois chiches en boîte, rincés et égouttés

500 g de pousses d'épinard lavées, rincées
   et bien égouttées

2 poivrons grillés nettoyés (voir p. 67), égouttés
   et émincés

sel, poivre

1 Dans une sauteuse, faites chauffer l'huile d'olive à feu moyen. Ajoutez l'ail et faites dorer pendant 2 min sans faire roussir. Retirez avec l'aide d'une écumoire et jetez.

2 Ajoutez l'oignon, le cumin, le poivre de Cayenne et le curcuma, et faites revenir et fondre pendant environ 5 min, pour enrober les oignons d'épices.

3 Ajoutez les pois chiches et les épinards encore humides. Couvrez et laissez cuire pendant 4 ou 5 min. Découvrez, incorporez les *pimientos del piquillo* et continuez à faire cuire en remuant doucement pour faire évaporer les liquides. Salez, poivrez selon votre goût et servez.

Au verso Les *marchés espagnols offrent un large choix de fruits et légumes dans un environnement pittoresque.*

riz au xérès
arroz al jerez

Un plat idéal pour accompagner toutes les viandes rôties.

POUR 4 À 6 PERSONNES

2 cuill. à soupe d'huile d'olive

1 oignon finement haché

1 gousse d'ail écrasée

400 g de riz à grains courts

200 ml de xérès

1 litre de bouillon de volaille chaud*

1 pincée de poivre de Cayenne

sel, poivre

1 Dans une sauteuse, faites chauffer l'huile. Ajoutez l'oignon et faites revenir pendant 3 min, puis ajoutez l'ail et faites fondre et dorer pendant 2 min sans faire roussir.

2 Rincez le riz jusqu'à ce que l'eau soit claire. Égouttez, versez dans la sauteuse et remuez pour l'enrober de matière grasse. Réservez 2 cuill. à soupe de xérès, incorporez le reste au riz. Laissez frémir à petits bouillonnements. Versez le bouillon et ajoutez le poivre de Cayenne. Salez, poivrez et portez à ébullition. Réduisez le feu et laissez frémir pendant 20 min à découvert, sans remuer, jusqu'à absorption du liquide : des petits cratères apparaissent à la surface du riz.

3 Arrêtez le feu sous le riz, arrosez du xérès réservé, couvrez et laissez reposer pendant 10 min, jusqu'à absorption complète du liquide.

variante – riz au xérès et au safran

Portez le bouillon à ébullition dans une petite casserole, ajoutez une pincée de safran et laissez infuser pendant 10 min. Suivez la recette et incorporez le bouillon au safran à l'étape n° 2.

* le truc du cuisinier

N'utilisez pas de bouillon en tablette, qui tend à être trop salé et à masquer les saveurs délicates de ce plat.

Les nombreux châteaux dressés sur leurs pitons rocheux sont une des gloires de l'Espagne.

244

riz au safran et aux légumes verts
arroz azafranado con verduras

POUR 4 À 6 PERSONNES

1 pincée de filaments de safran

1 litre de bouillon de volaille chaud

2 cuill. à soupe d'huile d'olive

1 oignon finement haché

1 gousse d'ail écrasée

400 g de riz à grains courts

100 g de haricots verts extra-fins coupés
en morceaux

sel, poivre

100 g de petits pois congelés

persil plat pour garnir

1 Mettez les filaments de safran dans le bouillon chaud et laissez infuser.

2 Pendant ce temps, faites chauffer l'huile d'olive dans une casserole, à feu moyen. Ajoutez l'oignon et faites fondre pendant 3 min, puis l'ail et faites revenir pendant 2 min sans faire roussir.

3 Rincez le riz jusqu'à obtention d'une eau claire. Égouttez, mettez dans la casserole avec les haricots et remuez pour les enrober d'huile. Versez le bouillon. Salez, poivrez et portez à ébullition. Réduisez le feu et laissez mijoter à découvert pendant 12 min, sans remuer.

4 Incorporez délicatement les petits pois et laissez frémir pendant 8 min jusqu'à ce que les petits pois soient tendres et le liquide absorbé. Goûtez et rectifiez l'assaisonnement. Garnissez de persil et servez.

*Madrid est aussi belle et colorée
la nuit que le jour.*

pommes de terre sautées
fritas

*Il s'agit de l'un des modes de préparation des
pommes de terre les plus populaires d'Espagne.
Elles accompagnent merveilleusement les viandes.
On les sert souvent à la catalane (voir p. 86).*

POUR 6 PERSONNES
1 kg de pommes de terre avec leur peau
huile d'olive
sel

1 Frottez les pommes de terre, séchez-les et coupez-
les en morceaux.

2 Versez 1 cm d'huile d'olive dans une ou deux poêles
et faites chauffer à feu moyen. Ajoutez un morceau
de pomme de terre, attendez que l'huile frémisse, puis
ajoutez les pommes de terre, sans excès, et faites revenir
et dorer sur toutes leurs faces pendant 15 min. Faites-
les cuire en plusieurs fois si nécessaire. Gardez les
pommes de terre cuites au chaud en attendant.

3 Avec une écumoire, transférez les pommes de terre
dans un plat, sur du papier absorbant. Épongez
l'excédent de matière grasse et salez. Servez
immédiatement.

variante – pommes de terre sautées à l'ail
Émincez finement 6 gousses d'ail. Mettez dans la poêle
avec les pommes de terre. Lorsque l'ail commence à
dorer, retirez-le avec une écumoire : lorsqu'il roussit,
il dégage un goût de brûlé. Vous pouvez aussi utiliser
de l'huile d'olive parfumée à l'ail.

Un lion se dresse fièrement sur une place de Madrid.

248

cœurs d'artichauts aux petits pois
alcachofas y guisantes

Ce plat est aussi délicieux seul qu'avec un poulet rôti.

POUR 4 À 6 PERSONNES

4 cuill. à soupe d'huile d'olive

2 oignons finement émincés

1 gousse d'ail écrasée

300 g de cœurs d'artichauts à l'huile, égouttés et coupés
en deux

200 g de petits pois frais écossés ou congelés

2 poivrons rouges grillés, épépinés (voir p. 74),
coupés en lanières

2 fines tranches de jambon cru italien ou espagnol,
coupées en lanières (facultatif)

6 cuill. à soupe de persil haché

le jus de ½ citron

sel, poivre

1 Dans une casserole, faites chauffer l'huile à feu
moyen. Ajoutez les oignons et faites fondre et dorer
pendant 3 min, ajoutez l'ail et faites revenir pendant
2 min sans faire roussir.

2 Ajoutez les cœurs d'artichauts et les petits pois, frais
ou congelés. Couvrez d'eau. Portez à ébullition,
réduisez le feu et laissez mijoter pendant 5 min à
découvert, jusqu'à ce que les petits pois soient tendres
et que l'eau soit évaporée.

3 Incorporez en remuant les poivrons et les lanières
de jambon. Continuez à faire frémir pour que
l'ensemble soit chaud. Ajoutez le persil et le jus de
citron. Salez sans excès, le jambon étant déjà salé.
Servez immédiatement ou à température ambiante.

*À Madrid, de magnifiques fontaines dispensent
leur fraîcheur.*

chocolat chaud

chocolate

1 Dans une casserole, faites fondre le chocolat dans le lait à feu moyen en remuant constamment. Ajoutez le sucre et continuez à remuer jusqu'à le faire fondre.

2 Mettez la Maïzena dans un bol, faites un puits au centre et versez-y 2 cuill. à soupe de chocolat chaud. Mélangez petit à petit, jusqu'à former une pâte épaisse. Versez encore 2 cuill. à soupe de chocolat chaud.

3 Incorporez la Maïzena diluée dans le chocolat, ajoutez l'extrait de vanille, le sel, et portez à léger frémissement, puis à ébullition, tout en remuant pour obtenir un liquide épais. Versez dans des tasses et servez.

Les Espagnols adorent le chocolat chaud : ils le font si épais et nappant qu'on peut le déguster à la cuillère. Au petit déjeuner, trempez des churros (voir p. 221) dans un bol de chocolat chaud, vous en conserverez un souvenir inoubliable. Consommez-le en petite quantité, car il est très riche.

POUR 4 À 6 PERSONNES

100 g de chocolat noir contenant au moins 70 %
  de cacao, cassé en morceaux

600 ml de lait

100 g de sucre semoule

3½ cuill. à soupe de Maïzena

1 cuill. à café d'extrait de vanille

1 pincée de sel

*Un clocher blanc annonce au voyageur
la présence d'un village.*

252

citronnade
agua limón

POUR 4 À 6 VERRES

8 citrons

200 g de sucre semoule, ou davantage si nécessaire

700 ml d'eau bouillante

1 Dans une jatte, râpez finement les zestes et pressez le jus de 7 citrons. Éliminez tous les pépins. Coupez le dernier citron en fines tranches. Réservez-en de 4 à 6 pour les verres, ajoutez les autres au jus.

2 Versez le sucre dans le jus, puis l'eau bouillante, et laissez refroidir. Mettez au frais jusqu'au moment de boire.

3 Juste avant de servir, versez dans un pot en filtrant avec une passoire fine. Diluez avec de l'eau froide selon votre goût. Ajoutez du sucre si nécessaire. Versez dans des verres glacés décorés des rondelles de citron réservées.

sangria
sangría

POUR 12 À 14 VERRES

100 ml de brandy espagnol ou de cognac

4 citrons découpés en tranches puis en quatre

4 oranges découpées en tranches puis en quatre

2 citrons verts découpés en tranches puis en quatre

2 pêches dénoyautées, coupées en tranches (facultatif)

2 bouteilles de vin rouge espagnol frais

200 g de sucre semoule, ou davantage si nécessaire

glaçons pour servir

1 Dans une jatte, mettez le brandy ou le cognac et la moitié des fruits. Avec une cuillère en bois, écrasez les fruits dans l'alcool. Couvrez et mettez au frais pendant au moins 2 h. Mettez les fruits restants dans un récipient couvert au réfrigérateur.

2 Versez l'alcool dans un grand pot en verre, ajoutez le vin et le sucre. Remuez pour qu'il se dissolve. Goûtez et ajoutez du sucre selon votre goût. Mettez quelques tranches de fruits dans les verres et servez la sangria, avec les fruits qu'elle contient.

254 index

255